CU00927458

DISCOURS
SUR L'ORIGINE
DE L'UNIVERS

Du même auteur

Conversations avec le Sphinx. Les paradoxes en physique, Albin Michel, 1991 ; Le Livre de Poche, 1994.

Le Temps et sa Flèche, avec M. Spiro (dir.), Éditions Frontières, 1995 ; Champs, 1996.

L'Atome au pied du mur et autres nouvelles, Le Pommier, 2000 ; nouv. éd., 2010.

L'Unité de la physique, PUF, 2000.

Les Tactiques de Chronos, Flammarion, 2003 (prix « La science se livre », 2004) ; Champs, 2004.

Petit voyage dans le monde des quanta, Champs, 2004 (prix Jean Rostand, 2004).

Il était sept fois la révolution. Albert Einstein et les autres…, Flammarion, 2005 ; Champs, 2007.

Le facteur temps ne sonne jamais deux fois, Flammarion, 2007 ; Champs, 2009.

Galilée et les Indiens. Allons-nous liquider la science ?, Flammarion, 2008 ; Champs, 2013.

Le Small Bang des nanotechnologies, Odile Jacob, 2011.

En cherchant Majorana. Le physicien absolu, Les Équateurs-Flammarion, 2013 (élu « Meilleur livre de science 2013 » par le magazine Lire) ; Folio, 2015.

Le Monde selon Étienne Klein, Les Équateurs, 2014 ; Champs, 2015.

Les Secrets de la matière, Librio, 2015.

Étienne KLEIN

DISCOURS SUR L'ORIGINE DE L'UNIVERS

Champs sciences

AVIS DE BROUILLARD SUR L'AURORE DU MONDE

> *Nous nous sommes détachés d'une origine*
> *qui ne nous lâche pas.*
> *Il faut rater, s'y remettre, et rater mieux.*
> Samuel Beckett

D'où vient *l'*univers ?

Et d'où vient qu'*il y a* un univers ?

Inlassablement, la question de l'origine de l'univers se pose à nous. Elle attise notre soif. À l'évidence, quelque chose de très profond se joue là. Mais que cherchons-nous au juste en faisant sans cesse retour sur l'origine ?

Parfois, certaines réponses, métaphysiques ou religieuses, semblent étancher cette soif. On les juge crédibles, suffisantes, quasi définitives. Mais, assez vite, les mêmes questions resurgissent, irrépressibles : elles se déplacent, changent de terrain, se confondent, s'embrouillent parfois, nous donnant à comprendre qu'elles portent sur une réalité étrange qui excède tout ce à quoi notre savoir immédiat peut répondre. De quoi cette réalité en amont de toutes les autres est-elle constituée ? Cette réalité qu'on n'approche jamais qu'en termes imprécis comme si le langage, cherchant à l'atteindre, se dispersait immanquablement et ratait sa cible.

Certains parlent de *création ex nihilo*, expression fort curieuse puisqu'elle suggère que c'est un méli-mélo de néant et d'être qui aurait organisé l'origine de l'univers. Mais par quel mécanisme (ou miracle) le néant pourrait-il avoir créé de l'être ? On ne se bouscule guère pour le dire. D'autres, citant tel ou tel récit mythique, expliquent qu'« au tout début *il y avait* ceci ou cela ». Mais un début qui fait suite à quelque chose qui l'a précédé, est-ce vraiment *le* début ?

D'autres encore évoquent une « cause » prétendument première, une cause elle-même dépourvue de cause, celle que Platon, par exemple, appelle l'*arkhè*, le « principe » ou le « commencement »[1]. Mais quel sens pouvait bien avoir le mot « cause » quand l'univers n'existait pas encore ?

D'autres enfin expliquent que l'univers serait l'accomplissement d'un « dessein intelligent », qu'en somme il actualiserait des plans divins qui l'auraient précédé. Mais d'où proviennent ces plans ? D'un super-ingénieur ? D'un dieu aimant les belles équations et les réglages fins ? Avec quelle sorte d'allumettes transforme-t-on des formules mathématiques en un univers physique qui leur soit soumis ?

---

1. « Un principe est chose inengendrée, car c'est à partir d'un principe que, nécessairement, vient à l'existence tout ce qui commence d'exister, au lieu que lui-même, nécessairement, ne provient de rien ; si, en effet, il commençait d'être à partir de quelque chose, il n'y aurait plus de principe » (Platon, *Phèdre*, 245 c-d).

Toutes sortes de fées affirment s'être penchées sur le berceau de l'univers et font savoir ce qu'elles y ont vu, de plus ou moins près. Mais leurs versions ne s'harmonisent guère.

Depuis peu, la question des origines apparaît même comme une zone de concurrence, voire de conflit ouvert, entre la science, plus précisément la cosmologie scientifique, et les religions : les ordres du croire et du savoir y entrent en rivalité, exhibant leurs arguments avec autorité, réclamant qu'on respecte leur territoire. Affirmer avoir mis la main sur l'origine, n'est-ce pas revendiquer un certain pouvoir sur les esprits ? On rapporte que le pape Jean-Paul II, recevant Stephen Hawking au Vatican, lui aurait déclaré : « Nous sommes bien d'accord, monsieur l'astrophysicien : ce qu'il y a après le *big bang* c'est pour vous ; et ce qu'il y a avant, c'est pour nous… » Cette anecdote, dont la véracité importe finalement peu, illustre à quel point il est aisé de caricaturer positions et arguments : pour certains, la religion permettrait d'aller plus loin (plus haut ?) que la science, par sa prétendue capacité à saisir l'amont ultime de toute chose ; pour d'autres, la physique, dont la lampe torche n'a jamais été aussi puissante, pourrait ravir la création des mains de la religion ou des récits mythiques pour la mettre dans son escarcelle, et peut-être en remanier le sens.

Il faut dire que les scientifiques sont parvenus à élaborer un « grand récit de l'univers », long de 13,7 milliards d'années. Singulier, inédit, extraordinaire même, il est en rupture sur bien des points avec toutes les cosmogonies traditionnelles que Gaston Bachelard appelait

joliment des « songeries ancestrales ». Mais dans le pro-
longement de cette longue narration à « rebrousse
temps », minutieusement élaborée et, pour tout dire,
bien difficile à contester tant elle s'appuie sur des bases
solides[1], certains esprits voudraient nous persuader que
la question de l'origine est désormais fermement installée à l'intérieur même des frontières de la science : les
scientifiques seraient bientôt capables de saisir la véritable source de la totalité de ce qui existe. Comment y
parviendront-ils ? Soit en écrivant l'équation qui englo-
berait l'exhaustivité des phénomènes, soit en se donnant
les moyens d'accéder, par le biais de télescopes ou
d'accélérateurs de particules surpuissants, à l'origine
même du monde.

L'origine de l'univers est devenue une terre promise :
on ne cesse d'annoncer qu'on s'en approche, qu'elle n'est
pas un ailleurs inaccessible, que le « mur de Planck » qui
continue de faire obstacle aux théories physiques est en
passe d'être franchi, que le grand dévoilement est une
affaire de petits pas qui bientôt toucheront au but. Le ton
est souvent publicitaire, parfois même racoleur.

En 2009, on a pu lire ici ou là que le LHC, ce
grand collisionneur de protons qui avait tout juste été

---

1. Les modèles de big bang (nous leur consacrons un chapitre)
bénéficient de trois « preuves » : les galaxies s'éloignent les unes les
autres d'autant plus rapidement qu'elles sont distantes, comme
dans un univers en expansion ; le rayonnement diffus cosmologique dont ces modèles prédisent l'existence et les propriétés a été
observé en 1965 et abondamment étudié depuis ; les proportions
que ces modèles imposent pour les éléments chimiques légers (deutérium, hélium 3, hélium 4, lithium 7) correspondent aux mesures
qui ont été faites par la suite dans le cosmos.

brillamment mis en service par le CERN à Genève,
allait « nous révéler l'origine de l'univers » en produisant
des « big bangs sous terre ». Il fut également annoncé
que cette machine magnifique et gigantesque allait per-
mettre de détecter la « particule Dieu » (surnom donné
par les Américains au boson de Higgs[1]). *L'accélérateur
de particules* est certes la miraculeuse anagramme de
éclipsera l'éclat du Créateur, mais ce beau hasard n'a lieu
qu'en français… On a aussi entendu dire que les données recueillies par le satellite Planck allaient prochainement dévoiler le « visage de Dieu[2] », à croire que celui-ci
pourrait docilement s'imprimer sur une carte du ciel.
Enfin, tout récemment, il fut annoncé, à grand renfort
de trompettes, que Stephen Hawking, comme pour
contredire l'information précédente (le visage de Dieu
montrant le bout de son nez), considérait désormais
qu'en vertu de la loi de la gravitation l'univers avait pu
se créer de lui-même, à partir de rien, sans aucune
intervention divine…

En clair, la confusion règne. Elle constitue sans doute
un signe des temps : on ne concède plus que du bout

---

1. Le boson de Higgs est la particule qui donne leur masse aux
particules microscopiques élémentaires, y compris à elle-même.
Prédite en 1964 par plusieurs théoriciens (dont Peter Higgs qui lui
a donné son nom), elle a été détectée en 2012 grâce aux expériences menées auprès du LHC.
2. Cette expression a été initialement utilisée par le Prix Nobel de
physique 2006 George Smoot, père du satellite Cobe lancé par la
NASA en 1989. Cet instrument visait, comme le satellite Planck
lancé par l'Agence spatiale européenne en 2009, à cartographier le
fonds diffus cosmologique, reliquat de la lumière qui s'est libérée
de la matière 380 000 ans après le big bang.

des lèvres que cette question de l'origine de l'univers puisse conserver quelque chose d'intrinsèquement problématique, voire constituer ce qu'on appelle un *mystère* (par différence avec un *problème*, qui a au moins une solution possible). En la matière comme en beaucoup d'autres, on devrait plutôt veiller à ne pas se hâter de conclure.

Notre esprit a une irrésistible tendance à considérer que les idées dont il se sert le plus souvent sont celles qui ont le plus de chances d'être vraies : l'usage les valoriserait indûment. Ainsi, nous avons l'habitude de répéter – donc de croire – que depuis Galilée la science ne s'attache à comprendre que le *comment* des phénomènes, non le *pourquoi*.

Mais c'est parce qu'il est justement l'un des rares à intriquer ces deux questions – *Comment* l'univers est-il apparu et *pourquoi* est-il apparu ? – que le problème de l'origine nous oblige à sonder les capacités ultimes de la science. Et nous inclinons à penser que si la physique et la cosmologie nous apportaient la bonne réponse à la première question, elles nous aideraient à répondre à la seconde. Et peut-être même serait-elle en mesure de nous livrer le *pour quoi* de l'univers, c'est-à-dire sa finalité. Mais lorsqu'elles touchent à la question du commencement, les sciences ingénieuses d'aujourd'hui sont-elles vraiment capables de faire mieux que les cosmogonies « ingénues » d'autrefois ? Possèdent-elles en exclusivité les moyens d'accéder à une origine véritablement originelle, à une sorte d'origine absolue ? Ou ont-elles besoin, elles aussi, pour se construire, d'un déjà là, d'un cadre primitif, d'un tout premier « il y a » ?

De nombreux physiciens, encouragés par de récents succès aussi bien dans le domaine de l'infiniment grand que dans celui de l'infiniment petit, travaillent aujourd'hui d'arrache-pied – ou plutôt d'arrache-tête – à l'élaboration d'une théorie unique capable de décrire, par un seul jeu d'équations, l'ensemble des quatre forces fondamentales qui structurent l'univers. Bref, leur ambition est de réduire celui-ci – aussi bien ses lois que tout ce qu'il contient – au rang de petit *pensum* pour mathématiciens aguerris. Admettons qu'ils parviennent effectivement à élaborer une telle « Théorie du Tout ». Imaginons même que celle-ci leur soit totalement intelligible, qu'ils sachent expliciter tout ce qu'elle sous-tend ou implique : cette théorie sera-t-elle pour autant capable, tel un superacide, de dissoudre tout ce qui fait écran entre notre intelligence et l'origine de l'univers ? Ou bien faut-il considérer qu'à l'instar des purs grimpeurs du Tour de France les physiciens seront toujours condamnés à rater le prologue (en général disputé sur terrain plat), quels que soient l'arsenal théorique et les ordinateurs dont ils disposent ? À ne jamais faire entendre la toute première chiquenaude ?

Et si nous nous étions laissé abuser par une certaine façon de raconter le big bang et par ledit instant zéro, supposé coïncider avec l'explosion originelle qui aurait créé tout ce qui existe, par une vulgate lancinante qui aurait ancré en nous l'idée que l'univers a bel et bien surgi du néant ?

Les perspectives qu'offre la cosmologie contemporaine sont peut-être plus vertigineuses encore – en outre, sommes-nous certains que l'univers a eu un commencement ?

« Vertigineuses », c'est bien le mot, car nous devrons suivre les physiciens qui tentent d'escalader le fameux mur de Planck – une falaise monstrueuse, bien plus terrible que la roche de Solutré – qui leur barre la vue lorsqu'ils regardent en direction de l'origine de l'univers. Pour trouver leur voie, ils font comme les alpinistes dans une passe difficile : ils essaient plusieurs prises différentes, les jaugent l'une après l'autre, les testent du bout des doigts, jusqu'à trouver celle qui leur semble la meilleure.

Nous devrons parfois nous accrocher. L'ascension du mur de Planck promet d'être ardue, mais, bonne nouvelle, nous avons apporté de la magnésie.

1

AU COMMENCEMENT ÉTAIT LA FABLE ?

*Descendre jusqu'au chaos primordial et
s'y sentir chez soi.*

Georges Braque

Commençons par émettre l'hypothèse – saine
lorsqu'on entreprend l'écriture d'un livre – que les **mots**
ont un sens bien défini. Dans ce cas, prendre la **question**
de l'origine au sérieux, saisir le mot « origine » dans **son**
sens le plus radical, ne consiste pas seulement à **tenter**
de décrire les phases les plus anciennes de notre **univers** :
c'est d'abord s'interroger sur le passage de l'absence **de**
toute chose – le néant – à la présence d'au moins **une**
chose (ou d'au moins un être) ; c'est donc **affronter**
d'emblée le mystère du néant et de ses **métamorphoses**
possibles : comment le néant a-t-il pu cesser **d'être le**
néant ? En d'autres termes, *penser le commencement **du**
monde revient rigoureusement à penser son absence,* et **à**
penser *comment son absence a pu se transmuter en présence* : par quelle sorte de conversion ce qui n'est **rien**
peut-il devenir un monde ?

La question ainsi posée, on devine mieux la **difficulté**
de la tâche, qui tient en grande partie au fait que l'**idée**
de néant, d'absence de toute chose, de rien absolu, **ne**

se laisse pas aussi facilement saisir que celle de table ou
de brique. Elle a d'ailleurs un statut tout à fait singulier.
C'est en effet une idée « destructrice » d'elle-même, au
sens où dès que le concept de néant nous vient à l'esprit,
le mouvement de notre pensée le transforme en autre
chose que lui-même : on en fait quelque chose de particulier, une sorte de vide auquel on attribue subrepticement un corps, une substantialité dont le néant ne
saurait être doté sans entrer en contradiction avec lui-
même. C'est ainsi que, au lieu de lui ôter jusqu'au
moindre semblant d'être, l'activisme intellectuel le projette immédiatement dans l'ontologie. Et cette sorte de
réflexe le trahit.

Tout se passe en somme comme si nous ne parve-
nions à penser l'absence de toute chose que par la représentation de quelque chose. Un couteau sans lame
auquel on a ôté le manche, ce n'est pas tout à fait rien :
c'est au moins deux fois rien, ce qui n'est déjà pas si
mal... Dans notre esprit, abolition signifie d'abord
substitution : l'absence devient présence, le non-être
s'habille d'être.

Tel est le paradoxe du néant, qui imprime un tour à
notre réflexion : penser *le rien* n'est pas penser *à rien* ;
en affirmant son existence, on le substantifie et, ce faisant, on extirpe le néant de son statut de néant.

Les récits qui décrivent la naissance de l'univers ne
s'y sont donc pas trompés : ils imaginent systématiquement le monde originel comme déjà rempli de quelque
chose ou de quelque divinité, et non comme une émanation du néant pur. Le monde surgit toujours d'un
lieu mystérieux, d'un réel en attente, en général illimité
et fertile. Il commence par une sorte de tohu-bohu où

titubent déjà la matière, l'espace et le temps. Mais pas
la lumière. En effet, ce « prémonde » baigne généralement dans l'obscurité : *l'origine de l'univers* est d'ailleurs
l'anagramme révélatrice de *un vide noir grésille*...

Faisons un petit tour d'horizon.

Chez les Égyptiens, ce prémonde était un océan primordial, un vaste tourbillon sans lois ni stabilité.
Durant la longue nuit des origines, établit leur cosmogonie, rien n'existait encore, ni la vie ni la mort, ni la
fureur ni le combat. Seules murmuraient les eaux
sombres du Noun, l'océan primordial. Le flux et le
reflux des vagues déposaient sans cesse du sable et des
limons noirs et fertiles sur le rivage de l'océan. Petit à
petit, une colline se forma. Soudain, le dieu créateur
Atoum, fatigué de flotter sur les eaux du Noun, vint y
reposer : ce fut le premier lever de soleil. Sur la colline,
le dieu se donna lui-même forme humaine et prit le
nom de Ré-Atoum[1].

En Mésopotamie aussi un océan tumultueux préexistait à tout. Lorsqu'en haut les cieux n'avaient pas pris
forme, racontait-on, et qu'en bas la terre n'avait pas de
nom, seuls Apsou, l'océan des eaux douces, et Tiamat,
la redoutable mer des eaux salées, mêlaient leurs gigantesques vagues dans une étreinte sans fin. De cette
union naissait sans cesse une foule de dieux intrépides
et coléreux qui grandissaient chaque jour en force et en
audace. Craignant d'être détrôné par ses fils, Apsou
décida de les éliminer. Tiamat s'en émut. Avec l'aide

---

1. Voir Jean Yoyotte, Serge Saugeron, « La naissance du monde
selon l'Égypte ancienne », in *La Naissance du monde*, Paris, Seuil,
coll. « Sources orientales », 1959, p. 46.

d'Ea, le plus rusé de ses enfants, elle forma le projet de tuer Apsou, son époux[1]...

Du côté de la Grèce, au tout début il y avait *Chaos*, nous dit la *Théogonie*[2] d'Hésiode. Vaste vide sombre et informe au sein duquel apparut Gaïa, la Terre aux larges flancs, la base inébranlable du monde. Puis survint *Éros*, l'amour, le plus beau des dieux, capable de les soumettre tous, dieux et humains. De *Chaos* naquirent encore les ténèbres d'en bas et la nuit noire. Tous deux s'unirent et engendrèrent à leur tour la lumière d'en haut, ainsi que le jour...

On entend dire que les Chinois ont peu de récits de l'origine du monde. Il y a bien l'histoire de Pangu, le créateur, dont les premières traces se trouvent dans des livres datant du IIIe siècle de notre ère[3]. Pangu grandissait depuis des milliers d'années à l'intérieur d'un œuf quand il finit par en briser la coquille à coups de hache, puis se mit aussitôt à l'ouvrage pour séparer, de toutes ses forces, les éléments enchevêtrés et ordonner le chaos des origines. À force de travailler, il trébucha de fatigue. Sa chute fut si violente que ses yeux furent projetés dans le ciel : son œil droit devint le soleil, son œil gauche la lune, ses os formèrent les montagnes et ses muscles les terres fertiles ; ses artères dessinèrent le cours des fleuves, ses veines celui des rivières ; ses dents devinrent les

---

1. Voir Paul Garelli, Marcel Leibovici, « La naissance du monde selon Akkad », in *La Naissance du monde, op. cit.*, p. 119.
2. Hésiode, *Théogonie*, édition de Paul Mazon, Paris, Les Belles Lettres, 1972.
3. Voir Rémi Mathieu, *Anthologie des mythes et légendes de la Chine ancienne*, Paris, Gallimard, coll. « Connaissance de l'Orient », 1989.

perles ; les animaux naquirent de ses puces, les êtres humains de ses poux…

Enfin, selon le récit biblique, le créateur débute son œuvre en organisant, par le verbe, un univers où tout – terre, eau, lumière, ténèbres – avait été jusqu'alors mélangé : « Au commencement Dieu créa le ciel et la terre. La terre était déserte et vide, et l'obscurité couvrait l'océan primitif. Le souffle de Dieu planait à la surface des eaux. Dieu dit « Que la lumière soit ! » et « La lumière fut ». Dieu vit que la lumière était bonne et il la sépara des ténèbres. Il appela la lumière jour et les ténèbres nuit. Il y eut un soir, il y eut un matin : ce fut le premier jour…

Et ensuite ? Que se passait-il ? D'une tradition à l'autre, les « méthodes » de création des divers éléments qui constituent l'univers diffèrent : création par le verbe, par un combat entre des êtres surnaturels, par des prouesses ou des liaisons amoureuses tumultueuses entre dieux, par un plongeon au fond de l'océan primordial, par un surgissement de lumière, ou encore par le démembrement d'un être antérieur à tous les autres[1]. Reste que ces différents récits de la naissance du monde partagent un point commun : tous racontent la mise en ordre progressive d'une sorte de « matière » dite originelle dont l'origine n'est pas précisée.

Pas de cosmogonie qui tienne, semble-t-il, sans mise en place implicite de « starting-blocks ». Sans doute les

---

1. Voir Guillaume Duprat, « Forme et structure de l'univers dans les civilisations anciennes et les traditions orales », in *Forme et origine de l'univers*, sous la direction de Daniel Parrochia et Aurélien Barrau, Paris, Dunod, 2010.

mythes fondateurs et les cosmogonies ancestrales, comme d'ailleurs tous les récits originels, n'ont-ils d'autre choix que celui de commencer par quelque chose : tout être, à commencer par le monde lui-même, ne semblant pouvoir s'expliquer que par l'invocation d'un autre être, éventuellement d'un Être supérieur à tous les autres, il leur faut bien partir d'un « déjà là » propulsif.

En la matière, la science pourrait-elle faire vraiment mieux que les mythes fondateurs ou les religions révélées ? Aurait-elle les moyens, comme on l'entend parfois dire, de remonter plus loin, en amont, jusqu'à l'énigmatique instant zéro ? Ou est-elle condamnée à prendre appui sur quelque « prémonde » de son cru ?

Pour le savoir, un petit détour s'impose d'abord par l'histoire des idées et des mots qui les disent.

2

DE L'ORIGINE DE L'IDÉE D'UNIVERS
À L'IDÉE D'UNE ORIGINE DE L'UNIVERS

Là, vraiment, l'histoire commence.
Michel Serres

Chacun aujourd'hui l'a entendu dire : une révolution discrète mais radicale s'est déroulée au cours du XXᵉ siècle. Toutes les disciplines scientifiques ont progressivement pris acte du fait que la plupart des objets qu'elles étudient n'avaient pas toujours été tels qu'elles pouvaient les observer : ils sont les produits d'une histoire et ont eux-mêmes une histoire. Cette Terre pourtant bien solide sous nos pieds n'a pas toujours existé, et la vie n'y a pas toujours été présente. Les étoiles, qui apparaissaient à nos précurseurs aussi stables et pures que les idéalités de la pensée théorique, ne sont pas immuables : elles se forment, évoluent, se transforment, agonisent, disparaissent. Les atomes eux-mêmes n'ont pas toujours été là : l'univers primordial n'en contenait aucun, seules des particules élémentaires gorgées d'énergie s'y agitaient frénétiquement (légers ou lourds, les atomes sont produits par les étoiles à coup de réactions nucléaires plus ou moins violentes).

Aidés par les astrophysiciens, les physiciens des particules et les physiciens nucléaires, les cosmologistes sont récemment parvenus à reconstituer les 13,7 derniers milliards d'années de l'histoire de l'univers. Ils savent de façon certaine que dans sa phase très primordiale celui-ci était beaucoup plus dense et beaucoup plus chaud qu'aujourd'hui et que, depuis, il ne cesse de se dilater, de se diluer, de se refroidir.

Le doute n'est donc plus permis : l'univers n'est pas statique. Il peut même se lire comme un « grand récit ». Cette vérité désormais banale mérite néanmoins qu'on lui rende justice, qu'on la comprenne pour ce qu'elle est, le résultat d'une aventure extraordinaire et tumultueuse dans le champ des idées. Il est arrivé au cours des siècles précédents qu'elle soit évoquée dans des termes voisins de ceux que nous utilisons aujourd'hui, mais c'est au détour des années 1930 qu'elle a brusquement gagné une signification neuve et, surtout, une portée inédite.

Aussi, avant de parler d'une éventuelle origine de l'univers, convient-il de s'accorder sur ce qu'on nomme « l'univers » dans la phrase « l'univers à une histoire ». Pareille mise au point peut sembler inutile, tant le mot ou ce qu'il recouvre est ancien (sans doute aussi ancien que les plus vieilles cosmogonies) et son usage devenu courant. Mais gardons à l'esprit trois choses que nous développerons dans ce chapitre et qui sont essentielles pour la suite.

La première est que la signification du mot univers n'a cessé d'évoluer au cours des âges, au gré des représentations qu'on pouvait s'en faire ou des extrapolations hasardeuses de l'imagination : aujourd'hui, l'univers n'est plus assis sur un empilement de tortues ou de baleines, il ne se réduit pas au système solaire, il n'est pas non plus le « monde », ni le cosmos des Anciens, ni la vague enveloppe contenant tout ce qui est. L'« idée d'univers », au sens scientifique du terme, est d'invention tout à fait tardive et ne recouvre guère les anciennes dénominations. On la doit à Galilée, qu'on peut considérer comme le « père » de la physique moderne (après que de nombreux pionniers lui eurent ouvert la voie) : l'univers est constitué par une seule sorte de matière et régi par des lois « universelles », invariables, et exprimées en langage mathématique, qui sont les mêmes partout et à tout instant. En d'autres termes, l'idée moderne d'univers a indissolublement partie liée avec les concepts d'unité et de loi. Tous les mondes ne sont donc pas des univers. Le tri est même assez sévère : par exemple, un monde où la structure des atomes ne serait pas la même en tel endroit qu'en tel autre ne mériterait pas le titre d'univers, pas plus qu'un autre dans lequel les corps pourraient chuter (ou ne pas chuter) comme bon leur semble, sans obéir à une loi digne de ce nom. En revanche, L'Univers du Bonbon, magasin de Chamonix où m'entraînent mes fils, n'usurpe pas tout à fait son appellation : on n'y trouve en effet que des bonbons (unité ontologique) dont le coût est en exacte proportion de leur poids, donc indépendant de leur forme, de leur couleur ou de leur saveur (loi universelle).

Deuxième chose : le pari consistant à dire que l'univers *en tant que tel* est un possible objet de science, ayant des paramètres globaux conceptualisables et mesurables, est encore plus récent. Il a moins d'un siècle. L'idée scientifique de l'univers, formulée par Galilée et reprise par Newton qui élabora la première théorie « universelle » (celle de la gravitation), n'a donc pas suffi à faire de l'univers un objet de science (presque) comme les autres : car il ne va pas de soi que le contenant de tous les objets physiques soit lui-même un objet physique. Pour effectuer ce dernier saut, il a fallu

disposer d'une nouvelle théorie, proprement révolutionnaire – la relativité générale d'Einstein –, capable d'agrip-
per l'univers dans sa globalité et pas seulement par le biais
des objets physiques dont il est le vaste réceptacle. Preuve
que cette promotion conceptuelle ne s'imposait pas : même
après que de tels outils théoriques eurent été mis sur pied
au début du XXe siècle, l'idée que l'univers puisse faire l'objet d'un discours intégralement scientifique ou qu'on puisse
définir et mesurer certaines de ses propriétés a continué de
rencontrer de farouches résistances, notamment de la part
de philosophes des sciences, avant de finalement s'imposer.

   Troisième chose : dire que les objets du monde ont une
histoire, que le monde en a une ou qu'il y a des histoires
dans le monde n'équivaut pas à dire que l'objet univers en
a lui-même une. L'idée que des histoires ont pu se dérouler au sein du cosmos est sans doute aussi ancienne que
les toutes premières « histoires du monde ». Que serait
d'ailleurs une histoire du monde qui ne raconterait pas
d'histoires *dans* le monde ? Ce truisme ne vaut d'ailleurs
pas que pour les cosmogonies : des scientifiques ont eux
aussi pensé que le monde pouvait être un lieu d'histoires,
notamment au XIXe siècle, après l'élaboration de la thermodynamique : certains d'entre eux imaginèrent qu'en
vertu des lois de cette nouvelle branche de la physique,
les structures présentes dans le monde ne pourraient que
se dégrader inexorablement, pour finalement se précipi-
ter vers une sorte de « mort thermique »[1]. Mais – point
capital – ces scénarios ne concernaient que les systèmes

---

1. Imprudemment appliqué au cosmos tout entier, le deuxième
principe de la thermodynamique prévoyait que l'univers était voué à
une dissipation d'énergie continue, à une dégénérescence progressive,

contenus dans l'univers, et non l'univers en tant que tel. Au cours des années 1930, des physiciens rigoureux ont établi que l'univers lui-même, l'objet univers avait lui aussi une histoire. Ils le firent grâce à un tout nouveau cadre explicatif, qui a permis de rebattre les cartes, et à des observations inédites. Cette découverte extraordinaire suscita elle aussi le scepticisme, voire les quolibets, de certains scientifiques qui ne pouvaient imaginer que l'univers soit autrement que tranquillement statique. Mais les faits ont fini par avoir raison des esprits récalcitrants : l'univers est bel et bien un objet physique, conceptuellement saisissable en tant que tel, et il a une histoire propre qui ne se réduit pas à celle de ses constituants.

Galilée invente l'idée d'« univers »

> *Il décida de porter lunettes. Il devint tellement fier de son œil aigu et de ses carreaux qu'il se mit à lire les journaux comme un presbyte et à déchiffrer les noms des acteurs sur les colonnes Morris, de l'autre côté du boulevard.*
>
> Raymond Queneau

Pour ceux qui ne la connaîtraient pas, la révélation du fait que la diversité des phénomènes qui nous entourent

---

jusqu'à atteindre un état de désordre maximal où toute vie serait détruite. Cet état n'étant pas atteint, certains physiciens en déduisait que l'univers ne pouvait pas avoir existé depuis une durée infinie. Mais ces interprétations manquaient de rigueur, tout simplement parce que la caractérisation de l'objet univers manquait encore de consistance (voir Étienne Klein, *Le facteur temps ne sonne jamais deux fois*, partie III).

pourrait être mise sous la coupe d'une unité à la fois ontologique et législative (univers = *unité* + di*versité*) mérite
d'être rappelée.

Durant l'hiver 1609-1610, profitant de quelques nuits
claires, Galilée observe à travers la lunette astronomique
qu'il a lui-même perfectionnée le caractère accidenté de
la surface lunaire, puis les phases de Vénus et les satellites
de Jupiter : le ciel n'apparaît plus comme la sphère par-
faite, lisse et immuable à laquelle on a cru jusqu'alors. Le
savant propose de renoncer à la distinction aristotéli-
cienne entre le monde local (celui où nous sommes, alors
centré sur la Terre), supposé imparfait et corruptible, et
le monde lointain, supposé parfait et incorruptible,
composé d'une « quintessence » inaltérable. Pour la première fois, le ciel et la Terre se rejoignent dans l'esprit
d'un homme. Et dès lors que la matière est partout la
même, « terreuse » ici comme sur la Lune, il ne faut envisager qu'une seule sorte de monde, composé d'une seule
sorte de matière, partout soumise à des lois « universelles ». Bref, il existe un « univers », et un seul !

Galilée ne s'arrête pas là. Il parie que cet univers nous
deviendra intelligible si nous apprenons son langage,
qu'il appelle « le langage de la Nature ». Il explique que
nous pouvons accéder à l'*essence des choses* grâce à un
mode de connaissance capable de nous livrer des vérités
rationnelles, susceptibles de s'imposer à tout esprit. Et
ce mode de connaissance exact et idéal, ce ne sont ni les
livres déjà écrits qui le prescrivent, ni les théories ensei-
gnées, ni l'observation du monde, aussi attentive soit-
elle : ce sont les mathématiques. Les mathématiques qui
permettent d'exprimer par le biais d'équations les relations entre un petit nombre de variables pertinentes,

grâce auxquelles on peut formuler des lois physiques qui seront ensuite validées ou invalidées par des expériences. C'est cette façon singulière d'envisager la nature qui va faire de la physique moderne une discipline capable de conquérir des territoires qu'aucune autre démarche de connaissance n'avait même foulés, et d'obtenir des résultats totalement inédits.

La conception moderne de l'univers s'appuie donc explicitement sur l'invocation d'une législation à la fois universelle et mathématisée : elle suppose d'une part l'existence de lois physiques s'appliquant de la même façon en tout lieu et en tout temps, ici comme là-bas et aujourd'hui comme hier, d'autre part que ces lois s'expriment dans un langage mathématique.

Ainsi considéré, le concept d'univers, avec ses quatre petits siècles, apparaît tout jeune au regard de l'histoire de l'humanité. Distinct de la notion de cosmos, on ne le trouve pas dans les cosmogonies traditionnelles, à l'exception du *Timée* de Platon, où il n'est qu'ébauché : Platon y développe ce qui apparaît comme la première cosmogonie mathématique, par laquelle il se propose d'établir la géométrie de l'univers en embrassant sous les mêmes concepts et les mêmes figures la forme du monde dans sa totalité et dans ses éléments ; à cette occasion, il se montre à la fois très moderne – il a recours aux mathématiques et se plie aux rigueurs de l'argumentation déductive – et très marqué par son époque – il tient l'observation pour peu de chose et la vérification expérimentale pour impossible. Platon envisageait en somme d'établir ce que les physiciens d'aujourd'hui appelleraient une « théorie du tout », peut-être la première de l'histoire.

La physique finit par saisir l'univers…

> — *Mais, papa, Einstein a dit…*
> — *Fiche-moi la paix avec ton Einstein, je ne*
> *veux pas d'histoires avec les voisins.*
>
>   Fernand Raynaud

Aux XVIIIᵉ et XIXᵉ siècles, bien après Galilée et Newton, nombreux furent les philosophes et les savants, tels Immanuel Kant ou Auguste Comte[1], à considérer que l'univers était une notion trop vague et trop problématique pour être prise au sérieux : en tant que totalité englobant la réalité physique, jugeaient-ils, elle est vouée à demeurer hors de toute saisie scientifique possible. Elle peut à la rigueur être un objet de spéculations, de pensée métaphysique, mais elle ne pourra jamais s'émanciper de la mythologie où elle a été inscrite dès le début de la civilisation humaine[2].

C'est seulement depuis le début du XXᵉ siècle, depuis qu'elle dispose d'un cadre relativiste, que la physique a pu vraiment se saisir, de façon *cohérente*, de l'univers en tant que tel, et que la question de son origine a été posée au sein même du corpus théorique. Cette captation s'est faite sous la double poussée de la science et de

---

1. Dans son *Catéchisme positiviste* (1852), Auguste Comte explique que les scientifiques ne doivent pas parler de l'univers, c'est-à-dire du « tout », sous peine de sortir de leur domaine de compétence, et donc de confondre idéologie et connaissance.
2. Voir l'article de Christian Godin, « Criticisme et positivisme : la déraisonnable prudence des philosophes en matière de cosmologie », *in* D. Parrochia et A. Barrau (sous la dir.), *Forme et origine de l'univers, op. cit.*

la technique. Le philosophe Jacques Merleau-Ponty a eu à ce propos un raccourci éclairant : à quelques années d'intervalle, « un physicien de génie et un télescope gigantesque, manié par un astronome à sa mesure, apportèrent à la philosophie de la Nature, l'un une idée, l'autre une vision de l'univers dont on ne sait laquelle était plus surprenante et plus exaltante[1] ».

Le « physicien de génie », c'est bien sûr Albert Einstein, qui suggéra avec sa théorie de la relativité générale (1915) que la gravitation n'est pas une force au sens classique du terme, mais une manifestation locale de la déformation que la matière imprime à l'espace-temps de notre univers, qui lui-même dicte son mouvement à la matière : sous l'effet de cette interaction entre la matière et l'espace-temps, ce dernier peut se courber, se dilater ou se contracter. Le mouvement de la Terre autour du Soleil ne résulte plus de l'action instantanée de la force mise au jour par Newton, mais se trouve guidé le long d'une trajectoire déterminée par la présence massive du Soleil. En clair, la courbure de l'espace-temps « dit » à la matière comment se mouvoir et la matière « dit » à la géométrie de l'espace-temps comment se courber. En fournissant les outils conceptuels qui permettent de décrire les propriétés globales de l'univers (et pas seulement celles de ses constituants, telles les étoiles ou les galaxies), la théorie de la relativité générale a ceci de révolutionnaire qu'elle fait de l'univers un authentique objet physique, précisément défini par sa structure spatio-temporelle et sa composition en

---

1. Jacques Merleau-Ponty, *Cosmologies du XXᵉ siècle*, Paris, Gallimard, 1972, p. 7.

matière, rayonnement et toute autre forme d'énergie. L'univers n'est plus seulement une idée : il devient une chose prosaïquement descriptible, un être dépoétisé qu'on peut mettre en équations. Gaston Bachelard a eu cette formule géniale : « On parle de l'univers d'Einstein, de celui de Sitter, d'Eddington. L'univers est devenu un brevet d'ingénieur[1]. »

Il a donc fallu trois gros siècles pour passer d'une conception scientifique de l'univers à l'idée que l'univers, la « chose univers » est un possible objet de science. La conception galiléenne n'impliquait en effet nullement que l'univers pût être en *lui-même* considéré comme un objet physique, susceptible d'être mis en équations comme tous les autres, ni qu'on puisse bâtir une véritable cosmologie scientifique, c'est-à-dire une science qui aurait pour objet – pour seul objet – l'univers en tant que tel.

Curieusement, le scepticisme à l'égard de la possibilité d'une authentique cosmologie scientifique dura une bonne partie du XXᵉ siècle. À la fin des années 1930, plus de vingt ans après la formulation de la théorie de la relativité générale qui bouleversa le statut même de la représentation de l'univers et rendit concevable l'émergence d'une véritable cosmologie scientifique, de grands esprits continuaient de penser que l'idée d'univers échappe à l'intuition et transcende la logique : notre intellect ne saurait donc avoir prise sur elle. Gaston Bachelard encore, pourtant si averti des progrès de la physique de son temps, considérait que la formation

---

1. Gaston Bachelard, « Univers et réalité », in *L'Engagement rationaliste*, Paris, PUF, 1937, p. 104-105.

de l'idée d'univers posait d'énormes difficultés, car penser l'univers ne peut se faire qu'en se plaçant hors de lui, ce qui est par définition impossible[1]. Paul Valéry, fort épris de science lui aussi, se situait à peu près sur la même ligne : « *univers*, donc, n'est qu'une expression mythologique », écrira-t-il, ajoutant aussitôt : « Les mouvements de notre pensée autour de ce nom sont parfaitement irréguliers, entièrement indépendants. [...] Comment acquérir le concept de ce qui ne s'oppose à rien, qui ne rejette rien, qui ne ressemble à rien ? Si l'univers ressemblait à quelque chose, il ne serait pas tout. Et s'il ne ressemble à rien[2]... »

Ces réserves presque en forme de fin de non-recevoir peuvent se comprendre, car un détail avait certainement échappé à ceux qui, tels Bachelard ou Valéry, doutaient qu'une science de l'univers fût possible : la cosmologie scientifique prend le mot univers dans un sens plus restreint et surtout plus précis que la philosophie traditionnelle. Elle se présente en effet comme *la science des phénomènes naturels pris dans leur totalité*. Or – détail capital –, science de la totalité ne veut pas nécessairement dire science de tout ce qui existe (une telle ambition serait effectivement chimérique), mais science de ce qui, dans les phénomènes naturels, les rassemble et les ordonne en une totalité par le biais de lois universelles. Dans la bouche d'un philosophe ou d'un logicien,

---

1. Voir à ce propos l'article de Daniel Parrochia, « Gaston Bachelard et la cosmologie », *in* D. Parrochia et A. Barrau (sous la dir.), *Forme et origine de l'univers, op. cit.*
2. Paul Valéry, *Variété, Œuvre I*, Gallimard, coll. « Bibliothèque de la Pléiade », 1957, p. 866.

le mot « univers » peut désigner quelque chose de beaucoup plus large, par exemple tout ce qui peut faire l'objet d'un discours conforme aux lois de la logique, comme les nombres, les êtres imaginaires, les lois civiles, les phénomènes de conscience, toutes choses qui ont certes des supports physiques mais qui n'« existent » pas de la même façon que ceux-ci. La cosmologie, elle, limite son cadre et ses ambitions : elle ne s'occupe que des choses qui ont une existence physique ou matérielle avérée (ou de celles dont on pense qu'elles pourraient en avoir une, telles l'énergie noire et la matière noire, dont nous parlerons), ce qui lui impose tout naturellement de s'appuyer sur l'ensemble des sciences physiques, à la fois sur leur mobilier ontologique et sur les lois qui les constituent. L'univers des cosmologistes est donc quelque chose de très spécial, un concept qui n'avait guère été pensé auparavant.

... et établit qu'il n'est pas statique

> Il suivait son idée.
> C'était une idée fixe et il était surpris de ne pas avancer.

Jacques Prévert

« L'astronome doté d'un instrument gigantesque » (Merleau-Ponty), c'est Edwin Hubble, qui découvrit en 1929 la loi de récession des galaxies grâce au télescope Hooker placé sur le mont Wilson : celles-ci s'éloignent les unes des autres à une vitesse d'autant plus élevée que leur distance est grande. C'est la preuve que l'univers est « en expansion » et non statique. Contrairement à ce que l'on imagine volontiers, ce ne sont pas les galaxies qui se déplacent, mais l'espace lui-même qui s'étend, emportant avec lui les galaxies. On comprendra par la suite que ce phénomène d'expansion, regardé en sens inverse de celui qu'il a effectivement suivi, démontre que, dans son passé lointain, l'univers était bien plus petit et bien plus dense qu'aujourd'hui. Quelques années plus tard, on réalisera qu'il avait dû être également bien plus chaud, à l'instar d'un gaz qui s'échauffe quand on le comprime. Si on déroule intégralement le film cosmique à l'envers, on semble même aboutir à un univers de taille nulle, à un point origine, c'est-à-dire à une singularité initiale d'où serait parti l'univers aujourd'hui en expansion.

L'idée scientifique d'origine naît à la croisée d'un postulat – l'univers est un objet que la science peut décrire – et d'un constat – l'univers est en expansion.

Albert Einstein et Edwin Hubble furent donc les deux incontestables pionniers d'une nouvelle science, la cosmologie relativiste. Mais un troisième nom doit être cité aux côtés de ces deux géants, celui d'un Belge, physicien et abbé, Georges Lemaître.

En 1927, Lemaître fut le premier à suggérer, calculs de relativité générale à l'appui[1], que l'univers pourrait

---

1. Des calculs à peu près équivalents avaient en fait été indépendamment proposés quelques années plus tôt, en 1922, par le mathématicien russe Alexandre Friedmann. Mais ce dernier restait sur un plan mathématique plutôt que physique.

être en expansion[1], avant même que cette hypothèse fût confirmée par les observations de décalages vers le rouge des galaxies et la loi de Hubble. Les conséquences proprement physiques de cette expansion, à savoir que le contenu de l'univers devait lui aussi évoluer, ne furent pas admises immédiatement. Lemaître en avait eu l'intuition dès le début des années 1930 lorsqu'il énonça son hypothèse de « l'atome primitif[2] » – préfiguration des modèles de big bang – qui laissa, sur le moment, ses collègues plutôt sceptiques.

Einstein, pour ne citer que lui, reprocha à cette hypothèse d'avoir été inspirée par le dogme chrétien de la création et d'être en outre totalement injustifiée du point de vue physique[3]. Précisons qu'à cette époque le père de la relativité générale ne soupçonnait pas que l'univers pouvait évoluer. Sa propre théorie laissait deviner une possible évolution des dimensions de l'univers,

---

1. L'abbé Lemaître suppose que les irrégularités de la distribution de la matière sont négligeables, c'est-à-dire que l'univers est homogène. Cela implique que sa courbure est constante, mais il reste à en préciser le signe, négatif, positif ou nul. Trois familles d'espaces sont possibles : l'espace euclidien (courbure nulle), l'espace sphérique (courbure positive), l'espace hyperbolique (courbure négative). C'est la densité moyenne de la matière et de l'énergie qui détermine l'appartenance d'un univers à l'une ou l'autre de ces familles.
2. L'hypothèse de Georges Lemaître était que l'univers serait issu d'une sorte de gigantesque noyau atomique comportant tous les nucléons de l'univers, noyau dont la désintégration aurait pu initier l'expansion de l'univers.
3. Le procès était en l'occurrence injuste, car pour Lemaître, ainsi qu'il l'exprima à maintes reprises, le commencement physique du monde était tout à fait différent de la notion métaphysique de création.

mais ses modèles d'univers étaient rigoureusement sta-
tiques. Pour garantir la fixité de l'univers, qui lui semblait aller de soi, il avait même introduit un paramètre
supplémentaire dans ses équations de relativité générale,
la fameuse « constante cosmologique » (1917) : cette
constante correspond à une répulsion de l'espace vis-
à-vis de lui-même, de sorte que si la valeur qu'on lui
prête est bien « ajustée », elle peut venir compenser
exactement les effets contractants de la gravitation et
ainsi imposer une taille invariable à l'univers. En 1931,
Einstein publia un article devenu célèbre[1], dans lequel
il reconnaît que les observations établissent sans contes-
tation possible que l'univers est en expansion. Au passage, il déplora sa bévue. Il avait introduit la constante
cosmologique pour des raisons certainement scientifiques mais qu'on pourrait presque qualifier d'idéolo-
giques[2]. On comprend pourquoi *Albert Einstein* est
l'anagramme de *rien n'est établi*.

Mais l'autorité d'Einstein n'était pas absolue, et l'ensemble de la communauté scientifique ne se rangea derrière les modèles décrivant un univers en expansion
qu'en 1964, l'année où ils reçurent un début de confirmation grâce à la découverte du « fond diffus cosmologique ». Son existence prouvait que dans son passé

---

1. Albert Einstein, « Zum kosmologischen Problem der allgemeinen
Relativitätstheorie », *Sitzungsber. Preuss. Akad. Wiss.*, n° 42, 1931,
p. 235-237.
2. L'ironie de l'histoire, c'est que la constante cosmologique n'a
pas disparu du champ de la cosmologie après qu'Einstein eut
changé d'avis, bien au contraire : certains physiciens pensent
qu'elle pourrait constituer l'« énergie noire » responsable de
l'accélération de l'expansion de l'univers (voir le chapitre « La cosmologie a du noir à broyer »).

lointain l'univers avait bien connu une phase beaucoup plus dense et beaucoup plus chaude.

On répète à l'envi qu'avant ces grandes découvertes astrophysiques du XXe siècle les scientifiques étaient convaincus que l'univers ne pouvait avoir eu d'histoire. Cette ritournelle fait même partie des poncifs les plus poncés. Mais, même assénées avec conviction, les redites ne tiennent pas lieu de preuves. En l'occurrence, un rapide examen montre que les choses n'ont jamais été aussi tranchées qu'on le martèle : chez les savants, l'idée que le monde pourrait ne pas être une entité stagnante est ancienne. Nous ne prendrons qu'un exemple, qui connut son heure de gloire : en 1755, Kant publia une *Histoire générale de la nature et Théorie du ciel*, dans laquelle il prétendait montrer, en s'appuyant sur les connaissances scientifiques de son temps, que si la gravitation universelle permet de rendre compte de l'état actuel du système solaire, elle permet aussi d'en expliquer l'histoire et les origines. Il avait imaginé une matière gazeuse et diffuse, très étendue au départ, qui se serait contractée sous l'effet de la gravitation jusqu'à se condenser en un ensemble comprenant le Soleil, les planètes et leurs satellites[1]. Ce livre fut considéré

---

1. Kant, on le sait, reniera ses premières amours pour les théories du ciel pour démontrer le caractère aporétique de certaines interrogations sur l'origine de l'univers. Définie comme premier commencement et cause, cette dernière constituera à ses yeux un authentique problème métaphysique, qui entraîne la raison dans des antinomies sans fin, comme celle-ci : « Admettons que le monde ait un commencement : comme ce commencement est une existence précédée d'un temps où la chose n'est pas, il doit y avoir eu un temps où le monde n'était pas, c'est-à-dire un temps vide. Or dans un temps vide, il n'y a pas de naissance possible de quelque chose » (Emmanuel

comme révolutionnaire, car il expliquait comment le monde qui nous entoure s'était mécaniquement formé. Il suscita pour cette raison l'enthousiasme d'un certain Friedrich Engels, qui écrivit : « La théorie kantienne, qui place l'origine de tous les corps célestes actuels dans les masses nébuleuses en rotation, a été le plus grand progrès que l'astronomie ait fait depuis Copernic. *Pour la première fois s'est trouvée ébranlée l'idée que la nature n'a pas d'histoire dans le temps*[1]. »

Mais – et c'est ce qui donne finalement pour partie raison à la vulgate – il existe effectivement une différence fondamentale entre le récit du père de la *Critique de la raison pure* et celui de la cosmologie contemporaine : l'explication kantienne des origines du monde, comme d'autres proposées à peu près à la même époque par Buffon (dans sa grande *Histoire naturelle*) ou Laplace[2] (dans son *Système du monde*), ne concerne pas

---

Kant, *Prolégomènes à toute métaphysique future qui pourra se présenter comme science*, Paris, Vrin, 1968, p. 132).

1. Friedrich Engels, *Anti-Dühring*, trad. fr. Émile Bottigelli, Paris, Éditions sociales, 1950, p. 89.

2. Laplace fut le premier à démontrer que la conjecture de Kant était erronée. Pour des raisons philosophiques, ce dernier avait imaginé que la gravitation n'était pas la seule force en présence : une autre force, toujours répulsive, lui faisait concurrence. Ce schéma impliquait que certaines planètes devaient tourner autour du Soleil dans un certain sens giratoire, et d'autres dans le sens opposé. Or, fit remarquer Laplace, toutes les planètes du système solaire tournent dans le même sens et presque dans le même plan... La suite de l'histoire devait toutefois relativiser cette affirmation : on découvrit que la rotation d'Uranus était rétrograde, et que la révolution du satellite de Neptune l'était également (voir Jean-Pierre Verdet, *Aux origines du monde. Une histoire de la cosmogonie*, Paris, Seuil, 2010, coll. « Science ouverte », p. 81-94).

l'univers dans son ensemble, mais seulement un événement local, en l'occurrence la naissance du système solaire. L'histoire d'une composante de l'univers nous est contée comme s'il s'agissait de celle de l'univers entier. Or, la partie n'est pas le tout.

Aujourd'hui, la cosmologie est une science bien assise. Depuis la période inaugurale que nous avons évoquée, ses instruments n'ont cessé de se perfectionner, permettant des mesures qui concernent bel et bien *l'univers en tant que phénomène*, et pas seulement une catégorie de phénomènes qui se produiraient localement en son sein : grâce à eux, on connaît les valeurs des paramètres de l'univers avec une précision croissante[1], qui permet de poser scientifiquement des questions portant sur l'univers lui-même, son histoire, sa forme, sa structure : Est-il unique ou fait-il partie d'un ensemble (ce qu'on appelle un « multivers ») ? Quelle est son origine ? Comment évolue-t-il ? Aura-t-il une fin ?

Parmi toutes ces questions, celle du commencement est la plus vertigineuse, la plus intrigante aussi. Dès lors que nous savons avec certitude que l'univers n'est pas une entité stationnaire, qu'il a eu et continue d'avoir une histoire, nous inclinons à croire que cette histoire a nécessairement eu un commencement (à partir d'un

---

1. Songeons par exemple aux mesures extraordinaires faites grâce aux satellites Cobe (1990), Wmap (2001) et Planck (2009). Ces mesures montrent une image très précise du cosmos tel qu'il était 380 000 ans après le big bang, c'est-à-dire au moment où la lumière s'est libérée de la matière. L'analyse des très faibles anisotropies de ce « fonds diffus cosmologique » donne en outre accès aux paramètres globaux de l'univers.

réflexe du type « Il faut bien que genèse se passe… » ou bien « Les meilleures choses ont eu un début ! »).

Pourtant, la prudence devrait s'imposer.

3

AU COMMENCEMENT SERAIT LE BIG BANG ?

Tout aurait ainsi commencé :
Un Dieu qui n'était pas pressé
Tirait des plans sur la comète
Et, dans un gaz surconcentré :
Bang ! (l'aurait-on enregistré ?)
Craqua soudain une allumette.

Jacques Réda

En toute rigueur, le big bang désigne l'époque très dense et très chaude que l'univers a connue il y a environ 13,7 milliards d'années. Il désigne aussi l'ensemble des modèles cosmologiques initiés par Georges Lemaître qui décrivent cette phase, et qui commencèrent d'être discutés dans les années 1950, après que George Gamow, joyeux drille d'origine russe, eut démontré que l'univers primordial avait dû être non seulement très petit et très dense, mais aussi torride, donc très énergétique. À ses débuts, la matière a connu un moment de fièvre inimaginable.

En général, le terme big bang est employé telle une métonymie de l'origine, comme si les modèles de big bang avaient directement accès à l'instant zéro, présenté comme l'instant marquant le surgissement simultané de l'espace, du temps, de la matière et de l'énergie. Dans le langage courant, l'expression *big bang* en est même venue à

désigner grosso modo la création du monde, pour ne
pas dire le *fiat lux* originel.

A priori, il ne s'agit nullement d'un contresens : selon
les premières versions des modèles de big bang, si l'on
regarde ce que fut l'univers dans un passé de plus en
plus lointain, on observe que les galaxies se rapprochent
les unes des autres, que la taille de l'univers ne cesse de
diminuer et qu'on finit en effet par aboutir – sur le
papier – à un univers ponctuel – non pas au sens où il
était à l'heure à ses rendez-vous, mais où *il se réduisait à
un point géométrique, de volume nul et de densité infinie.*

En d'autres termes, si on déroule le temps à l'envers,
du présent vers le passé, les équations font bel et bien
surgir un instant critique, traditionnellement appelé
« instant zéro », qui serait apparu il y a 13,7 milliards
d'années : cet instant se trouve directement associé à ce
qui est communément appelé une « singularité initiale »,
sorte de situation théorique monstrueuse où certaines
quantités, telles la température ou la densité, deviennent
infinies. Or qu'est-ce qui empêche d'assimiler cette
« singularité initiale » à l'origine effective de l'univers ?
De prime abord, rien. Mais seulement de prime
abord…

Un instant zéro devenu (trop) célèbre

> *Le demi-savoir triomphe plus facilement que le savoir complet : il voit les choses plus simples qu'elles ne sont, et par là en donne une idée plus compréhensible et plus convaincante.*
>
> Friedrich Nietzsche

D'où vient notre réserve, qui ressemble à un coup de théâtre épistémologique ? Les raisons peuvent se comprendre aisément : les premiers modèles de big bang ne tenaient compte que d'une seule force de la nature, la gravitation, décrite à l'aide du formalisme de la relativité générale. Cette interaction qu'est la gravitation, toujours attractive et de portée infinie (la force qui s'exerce entre deux masses n'est nulle que si ces deux masses sont séparées par une distance infinie), domine à grande échelle[1]. Mais lorsqu'on remonte le cours du temps, la taille de l'univers se réduit progressivement et, au bout de 13,7 milliards d'années, la matière finit par rencontrer

---

1. L'intensité de la gravitation est beaucoup plus faible que celle des autres interactions, si bien qu'on peut généralement négliger ses effets à l'échelle des particules, soumises par ailleurs à des forces beaucoup plus intenses. Comment se fait-il alors qu'elle soit si importante pour nous, à l'échelle macroscopique ? C'est que, étant toujours attractive, l'interaction gravitationnelle est cumulative : elle est d'autant plus grande que le nombre de particules mises en jeu est important. L'interaction gravitationnelle entre un proton de notre corps et un proton de la Terre est infime, certes, mais les protons de notre corps étant très nombreux, et ceux de la terre encore plus, les innombrables petites forces qui les lient s'ajoutent les unes aux autres et finissent par faire une force globale importante, précisément égale à... notre poids.

des conditions physiques très spéciales, pour ne pas dire extraordinaires, que la relativité générale est incapable de décrire seule, car des interactions fondamentales autres que la gravitation entrent alors en jeu : il s'agit des interactions électromagnétique, nucléaire faible et nucléaire forte[1], qui déterminent le comportement de la matière, notamment lorsque celle-ci est à très haute température et à très haute densité. Une rapide présentation des forces en présence s'impose donc.

L'*interaction électromagnétique*, découverte par James Clerk Maxwell au milieu du XIXe siècle, est beaucoup plus intense que la gravitation. Cette force agit de façon manifeste autour de nous puisqu'elle permet le fonctionnement de tous nos appareils électroménagers, de l'aspirateur à la cafetière en passant par le réfrigérateur et en repassant par le fer à repasser. À un niveau plus fondamental, elle assure surtout la cohésion des atomes et des molécules, gouverne toutes les réactions chimiques et aussi les phénomènes optiques (la lumière est constituée d'ondes électromagnétiques, structurées en photons).

L'*interaction nucléaire faible* a été découverte plus tardivement, dans les années 1930. Elle a une portée très courte, d'environ un milliardième de milliardième de mètre, soit une fraction de la dimension d'un noyau d'atome. Autant dire qu'il s'agit d'une interaction de contact : deux particules ne peuvent interagir que si

---

1. Ces deux forces nucléaires, découvertes au début des années 1930, n'étaient évidemment pas connues des cosmologistes qui, tel l'abbé Lemaître, élaborèrent les tout premiers modèles d'univers relativistes au cours des années 1920. Les physiciens pensaient alors qu'il n'existait que deux forces fondamentales : la gravitation et la force électromagnétique.

elles se touchent quasiment. Elle est responsable de la radioactivité bêta, par laquelle un neutron se désintègre en un proton et un électron (avec émission conjointe d'un antineutrino), qui joue un rôle important dans la formation des noyaux d'atomes. Comme son nom l'indique, l'interaction faible est caractérisée par une très faible intensité qui la rend difficile à observer. Mais cela ne l'empêche pas de jouer un rôle capital, notamment dans le soleil, où elle régit les réactions de fusion des noyaux d'hydrogène[1]. Si elle disparaissait de l'univers, notre étoile cesserait de briller…

L'*interaction nucléaire forte*, la plus intense des quatre interactions fondamentales, a été identifiée à peu près à la même époque que l'interaction nucléaire faible. Sa portée effective est très courte, de l'ordre de la taille d'un noyau, soit quelque 10^{-15} mètre. Elle assure la très grande cohésion des noyaux d'atome. Elle agit comme une sorte de glu qui colle deux nucléons (proton ou neutron, peu importe pour elle) en contact l'un avec l'autre, mais sa force s'affaiblit très rapidement dès qu'on les écarte un tant soit peu l'un de l'autre. Cela ne l'empêche pas d'être incroyablement puissante : qu'un proton soit capable de stopper sur une distance de seulement quelques millionièmes de milliardième de mètre un autre proton lancé sur lui à une vitesse de cent mille kilomètres par seconde suffit à montrer à quel point l'interaction nucléaire forte est… forte ! Le cyanocrylate

---

1. En réalité, il ne s'agit pas d'une « fusion » à proprement parler de deux protons. L'un des deux doit d'abord se transformer en neutron (par une désintégration bêta inverse), ce qui permet ensuite qu'il fusionne avec le second.

de méthyle, commercialisé sous le nom de Super Glue, est largement battu…

La relativité générale ne prenant en compte aucune de ces trois forces, elle n'est pas gréée pour décrire à elle seule l'univers primordial : contrairement à ce que suggère son appellation, elle n'est pas « générale », mais constitue plutôt une théorie spécifique de la gravitation, par conséquent incomplète. Ses équations perdent toute validité lorsque les particules présentes dans l'univers, dotées d'énergies gigantesques, subissent d'autres interactions que la gravitation. La relativité générale ne donne en réalité accès qu'aux « périodes tardives de l'univers primordial », si l'on peut dire, et nullement à celles qui les ont précédées. L'instant zéro qu'on persiste à accoler au big bang ne peut donc avoir été un instant physique, le premier instant par lequel l'univers serait passé[1] : c'est un instant fictif inventé par l'extrapolation abusive d'une théorie incapable de décrire de façon adéquate un univers très chaud et très dense.

Toutes prodigieuses qu'elles sont, les descriptions des différentes phases de l'univers par les modèles de big bang exclusivement construits sur la théorie de la relativité générale n'incluent donc jamais le commencement de l'univers proprement dit, et encore moins quoi que ce soit qui l'aurait précédé ou qui pourrait en être la cause.

---

1. Jean-Marc Lévy Leblond a fait remarquer que l'instant zéro de ces modèles de big bang peut être interprété comme la marque d'un horizon infini. En effet, il est possible d'utiliser d'autres échelles temporelles que celle du temps cosmique universel. Dans certaines d'entre elles (logarithmique par exemple), il n'y a plus d'instant initial (le big bang « commence à moins l'infini », si l'on veut), et l'on doit alors considérer que l'univers a existé de toute éternité (voir Jean-Marc Lévy-Leblond, « Did the big bang begin ? », *Am. J. Phys.*, n° 58, 1990,

« Big bang » a fait bingo…

> *Cela ressemble bien aux Américains d'imaginer*
> *un big bang à l'origine de nos univers.*
>
> Julien Green

L'ironie de l'histoire, c'est que les modèles de big bang, que les spécialistes avaient d'abord appelés modèles « d'évolution dynamique », ont été les victimes épistémologiques de leurs premiers détracteurs. En effet, cette expression de « big bang » fut inventée en 1949, lors d'une émission de radio sur la BBC, par l'astrophysicien Fred Hoyle, promoteur d'un univers statique, qui voulait ainsi donner à ses auditeurs une image parlante de ce modèle concurrent du sien[1]… ! Cette onomatopée tapageuse a fait mouche, de sorte que les scientifiques l'ont reprise à leur compte et sont ainsi tombés à pieds joints dans une sorte de piège sémantique.

Cette expression est en effet des plus trompeuses, puisqu'elle suggère, de façon quasi autoritaire, que l'univers aurait résulté d'une explosion cataclysmique

---

p. 156, ou bien « L'origine des temps, un début sans commencement », in *La Pierre de touche. La science à l'épreuve…*, Paris, Gallimard, coll. « Folio essais », 1996, p. 337-350).

1. Fred Hoyle n'a d'ailleurs jamais accepté la théorie du big bang, défendant jusqu'à ses derniers jours, au début du XXIᵉ siècle, une théorie alternative baptisée « modèle de l'état stationnaire ». Ce modèle suppose qu'au sein de l'univers en expansion de la matière est régulièrement créée en tout point de l'espace, de sorte que le vide engendré par l'éloignement des galaxies se trouve comblé à mesure qu'il se forme. L'univers se renouvellerait ainsi sans cesse tout en apparaissant identique à lui-même au cours du temps.

qui se serait produite en un lieu précis et correspondrait
à l'origine de tout ce qui est. Il arrive aussi que les astrophysiciens eux-mêmes, soucieux d'être plus facilement
compréhensibles, ou par désinvolture langagière, voire
par désir de faire accroire que l'origine de l'univers serait
à portée de leur vue et de leurs calculs, donnent corps à
cette interprétation : ils expliquent par exemple que tel
ou tel phénomène s'est produit tant de « fractions de
seconde après le big bang », laissant ainsi entendre que
ce dernier a bien été le déclencheur de l'horloge cosmique. Bref, rien de moins que l'« origine du monde »,
la vraie, la seule, l'unique, bien antérieure à celle peinte
par Gustave Courbet[1].

Heureusement, certains astrophysiciens – je pense entre
autres à Michel Cassé, Marc Lachièze-Rey, Roland
Lehoucq, Hubert Reeves… –, embarrassés par la confusion qui s'est installée, tentent de « rattraper le coup » et
préviennent le public contre certaines extrapolations
hasardeuses, notamment celles qui donnent à penser que
les modèles de big bang décrivent une explosion au sens
strict du terme. Leur tâche n'est pas facile, car le succès
médiatique du big bang est tel que les images simples auxquelles on l'a d'abord associé ont vite produit leurs effets
symboliques et culturels. Par percolation, elles se sont
même enracinées pour de bon dans la psyché collective.
« Les astrophysiciens sont sans cesse obligés de courir après
les mots big et bang pour en corriger le sens, a fait remarquer Jean-Marc Lévy-Leblond : "Attention, ces mots ne
veulent pas du tout dire ce que vous avez compris, ce n'est

---

1. *L'Origine du monde, Gustave Courbet* est la troublante anagramme de *Ce vagin où goutte l'ombre d'un désir…*

pas une explosion, ça n'a pas eu lieu en un point donné de l'espace, ni d'ailleurs à un moment donné[1]..." »

Il est, comme on le sait, des malentendus très difficiles à dissiper...

Un certain précipité métaphysique

> *Le sentiment des frontières du monde, voilà ce qui est mystique.*
>
> Ludwig Wittgenstein

Si l'assimilation si souvent faite entre big bang et émergence de l'instant zéro mérite d'être examinée à la loupe, et même au microscope à effet tunnel, c'est parce qu'elle n'est pas métaphysiquement neutre. Mal interprétée ou symboliquement surchargée, elle peut mener à des digressions hors de propos, voire à ce que Ludwig Wittgenstein appelait des « faux problèmes ». En effet, pour qui confond big bang et création de l'univers, la question de savoir ce qui a bien pu exister avant le big bang semble dépourvue de sens : si on considère que tout (espace, temps, particules élémentaires, énergie) est apparu de concert, en même temps (si tant est que cette expression ait un sens au moment où le temps lui-même est censé apparaître...), imaginer une époque antérieure au big bang semble aussi absurde que de se demander

---

1. Jean-Marc Lévy-Leblond, « Le monde est plus riche et compliqué que ne le pensent les physiciens », in *La Recherche*, n° 349, janvier 2002, p. 87-89.

ce qu'il peut bien y avoir au nord du pôle Nord[1]. Dans les deux cas, la réponse qui paraît s'imposer est : rien. Il ne pourrait exister, par définition, de période avant la naissance de l'univers, de sorte que la question de savoir ce qui a pu s'y passer est vide de sens, de la même façon que s'il n'y a rien au nord du pôle Nord, c'est parce que la région à laquelle on fait ainsi allusion n'existe pas ou que les mots dont nous disposons – « exister » notamment – sont impuissants à en dire les contours.

Si on voit dans le big bang l'amorce de tout ce qui est, on tombe immanquablement sur une autre question métaphysique, celle de savoir ce qui a bien pu le déclencher au milieu de nulle part, en plein cœur du néant (le néant aurait-il donc du cœur ?). Le néant ne saurait de lui-même exploser, à moins de contenir un « principe explosif » qui le rendrait *ipso facto* distinct de lui-même. Mais alors qui – ou quoi – a bien pu mettre le feu à des poudres jusque-là inexistantes ? La question de l'origine de l'univers en vient ainsi à coïncider avec la question suprême, celle de l'être. L'être comme question : pourquoi y a-t-il quelque chose plutôt que rien ? Ou, si l'on préfère, pourquoi y a-t-il eu le big bang plutôt que rien ? Question redoutable, et même la plus impénétrable de la philosophie, son sphinx et son phénix. Car

---

1. Cette question rappelle celle que les néoplatoniciens posaient avec ironie à saint Augustin, qui défendait l'idée d'un commencement temporel de l'univers : « Que faisait Dieu avant la création de l'univers ? » Saint Augustin répliquait qu'il n'y avait pas de temps avant la création de l'univers, puisque le temps n'est qu'une propriété de l'univers, que Dieu, dans son éternité, ne possède pas. Il ne saurait donc y avoir de temps vide, de temps sans monde dans lequel l'univers aurait pu se déployer.

comment penser un tiers état entre l'être et le non-être ? Peut-on concevoir une courroie de transmission qui transformerait l'un en l'autre ? Imaginer un treuil ontologique qui extirperait le premier du second ?

Lorsqu'on aborde ces questions, Dieu ne tarde jamais à entrer en scène. Il y surgit même comme une réponse évidente, comme s'il avait été fait tout *exprès :* quand on suppose qu'il n'y a rien, on imagine qu'il y a quand même quelqu'un, et même Quelqu'un. C'est ainsi qu'on prête toujours à Dieu des allures d'allumette cosmique, d'amorce initialo-initiale, et même davantage : présenté comme le seul *étant* qui soit son *être* (l'Être en somme), il aurait joué le tout premier rôle, celui de starter suprême. Les autres étants, ceux qui le suivent, chronologiquement ou ontologiquement, ne *seraient pas* leur être. Ils se contenteraient d'*avoir* l'être, ce qui n'est pas la même chose qu'*être* son être : l'existence leur serait seulement donnée ou, pour mieux dire, prêtée.

Toutes ces considérations d'ordre métaphysique ou théologique ne laissent pas de nous captiver, et parfois même de nous « capturer ». Simplement, il faut prendre acte du fait qu'il n'y a pas de raison de les discuter *au nom* de la cosmologie actuelle, car cette dernière ne les implique pas. Les physiciens ont fini par comprendre que le big bang ne correspond nullement à la création proprement dite de l'univers, mais simplement à un épisode particulier qu'il a traversé : il leur est en effet apparu que le prétendu premier instant que produisaient les premiers modèles n'a pas eu de réalité physique, au sens où il ne correspond à aucun moment *effectif* du passé de l'univers. En d'autres termes, même si une certaine vulgate disant le contraire continue de courir, le temps de l'univers n'est pas passé par le célébrissime instant zéro qu'on associe communément et abusivement au big bang. Celui-ci n'est qu'une construction purement théorique, exagérément promue, non un instant qui aurait enclenché le cours du temps physique.

De nos jours, un cosmologiste ne peut plus avancer l'hypothèse que l'univers trouverait son origine dans une quelconque singularité ou « explosion initiale », car l'instant zéro est moins le symptôme d'une telle explosion de matière que celui d'un effondrement de la théorie de la relativité générale, dont les équations ne sont pas en mesure à elles seules de décrire le passé le plus ancien de l'univers[1].

Mais la route qui attend les chercheurs s'annonce longue et tortueuse. Car pour pouvoir affronter les conditions de l'univers « vraiment primordial » et devenir capables d'en parler, il faudrait qu'ils puissent franchir ce qu'ils appellent le « mur de Planck », en passe de devenir aussi célèbre que celui de Berlin, mais beaucoup plus stimulant. Ce terme désigne un moment particulier de l'histoire de l'univers, une phase par laquelle il est passé et qui se caractérise par le fait que les théories physiques actuelles sont impuissantes à décrire ce qui s'est passé en son amont.

Le mur de Planck est ce qui nous barre l'accès à la connaissance de l'origine de l'univers, si origine il a eu. Il

---

1. Michel Cassé a dit cela à sa façon, c'est-à-dire joliment : « Zéro est un nombre trop précis pour être quantique » (« Métacosmologie », *in* D. Parrochia et A. Barrau (sous la dir.), *Forme et origine de l'univers, op. cit.*, p. 97).

incarne en effet la limite de validité ou d'opérativité des concepts de la physique que nous utilisons : ceux-ci conviennent pour décrire ce qui s'est passé après lui, pas ce qui a eu lieu avant lui (ainsi, nos représentations habituelles de l'espace et du temps perdent toute pertinence en amont du mur de Planck). Attention, cela ne revient pas à dire que l'univers a « ressenti » quelque chose de particulier au moment de son passage par ce fameux rempart théorique : figuration symbolique de la zone à partir de laquelle nos concepts se mettent à flageoler, le mur de Planck est moins un mur proprement physique qu'un mur *pour* notre physique. Donc un défi pour les chercheurs…

Pour ce faire, ils doivent tenter de mettre sur pied une théorie plus puissante que la seule relativité générale, une théorie capable d'embrasser aussi les trois autres interactions fondamentales, qui avaient alors des intensités comparables. Or ces trois interactions sont décrites aujourd'hui grâce au formalisme de la physique quantique, celle qui s'applique au monde de l'infiniment petit, et dont les principes ne s'accordent justement pas avec ceux de la relativité générale. Il ne reste donc qu'à élaborer ce qu'on appelle une « théorie quantique de la gravitation », c'est-à-dire des équations qui unifieraient en un seul et même cadre théorique la physique quantique et la gravitation.

Le problème est : comment faire ?

4

COMMENT ESCALADER LE MUR DE PLANCK ?

C'est à se tuer !
À se jeter la tête contre le mur !
Jean Giraudoux

Nous ne sommes pas en forêt de Fontainebleau : le mur de Planck est une sacrée falaise, à peine concevable, y compris pour les imaginations les moins bridées. Il se caractérise en effet par des paramètres hors norme, qu'on a pris l'habitude d'exprimer sous la forme d'un temps, d'une longueur et d'une énergie caractéristiques, tous trois dits « de Planck ».

Il existe en physique ce qu'on appelle des « constantes universelles », qui structurent les lois fondamentales, donc les théories. Parmi elles, on trouve bien sûr la constante de la gravitation introduite par Newton et la vitesse de la lumière qui joue un rôle déterminant dans les théories relativistes. Ces deux constantes interviennent ensemble en relativité générale, puisque celle-ci est, par construction, une théorie relativiste de la gravitation. Une autre constante universelle, appelée constante de Planck, intervient quant à elle dans la description des phénomènes quantiques. Le mur de Planck correspondant à des circonstances dans lesquelles les phénomènes quantiques et gravitationnels commencent à vraiment s'imbriquer, sa description doit faire intervenir *ensemble* ces trois constantes fondamentales. Comment le caractériser ? Un raisonnement élémentaire donne une estimation des grandeurs physiques qui permettent d'appréhender le mur de Planck[1]. Il conduit aux résultats suivants :

L'énergie de Planck vaut dix milliards de milliards de fois l'énergie de masse d'un proton, soit 10^{19} GeV[2]. C'est dire si, à l'époque du mur de Planck, la matière était furieusement agitée, affolée de façon paroxystique…

La longueur de Planck est égale à quelque 10^{-35} mètres, soit dix-sept ordres de grandeur de moins que la taille d'un quark ou d'un électron. On l'interprète en disant qu'en deçà de cette échelle de distance, la notion d'espace telle que nous la décrivons dans nos théories physiques n'a plus de sens : elle s'effondre littéralement.

---

1. Ce raisonnement s'appuie sur le fait que chacune des constantes universelles s'exprime selon une unité bien définie (la vitesse de la lumière, pour ne citer qu'elle, s'exprime en mètres par seconde). On peut donc les combiner de façon à obtenir trois grandeurs, la première s'exprimant en une unité de temps, la deuxième en une unité de longueur et la troisième en une unité d'énergie. L'énergie de Planck, le temps de Planck et la longueur de Planck sont ainsi donnés respectivement par les expressions $(hc^5/G)^{1/2}$, $(Gh/c^5)^{1/2}$ et $(hG/c^3)^{1/2}$, dans lesquelles G désigne la constante de la gravitation introduite par Newton, c la vitesse de la lumière et h la constante de Planck.
2. L'électronvolt est l'unité d'énergie utilisée en physique des particules. Un électronvolt correspond à $1,6 \times 10^{-19}$ joule. Le MeV vaut un million d'électronvolts, le GeV un milliard d'électronvolts, et le TeV mille milliards d'électronvolts.

Le temps de Planck vaut quant à lui à peu près 10^{-43} seconde. Pour exprimer ce résultat, on a pris la malheureuse habitude de dire que le mur de Planck correspond à l'univers tel qu'il était « 10^{-43} seconde après le big bang ». Or cela constitue un double abus de langage : d'une part, cette façon de parler admet implicitement l'existence d'un temps zéro alors que celui-ci est fictif, comme nous l'avons vu ; d'autre part, avant le mur de Planck, le concept de temps devient lui-même aussi problématique que celui d'espace, au point qu'il n'est plus possible de donner le moindre sens à la notion de durée, en l'occurrence à celle qui se serait écoulée entre le big bang et le mur de Planck.

Résumons-nous : au temps de Planck, c'est-à-dire lors de la période de l'univers la plus ancienne que nos équations (et nos seules équations) parviennent à concevoir, l'univers était nerveux et sec, minuscule et gorgé d'énergie, et son espace-temps avait une structure « bizarre ».

Pour remonter plus avant dans le passé et se rapprocher de l'hypothétique origine de l'univers, il faut impérativement devenir capable de franchir ce mur impressionnant. Pour y parvenir, pas d'autre stratégie possible que de mettre sur pied une théorie unifiant la physique quantique, qui décrit la matière et ses interactions, et la relativité générale, qui décrit la façon dont cette matière structure l'espace-temps par le biais de la gravitation, et s'entremêle même avec lui. Mais comment procéder ? Sur quoi s'appuyer pour construire une telle théorie ? S'agit-il d'appliquer les procédures de la physique quantique à la relativité générale ? de les greffer l'une à l'autre ? ou de mettre sur pied une nouvelle théorie qui dépasse, en les incluant, la physique quantique et la relativité générale ? Toutes ces pistes ont bien sûr été envisagées.

Avant de les présenter, il nous faut dire un mot des forces qui structurent et organisent la matière à toute petite échelle. Car dans l'univers primordial, il n'y avait que des particules élémentaires (tels les électrons, les quarks, les neutrinos ou encore les photons) enfermées dans un volume minuscule, dotées d'une énergie très élevée et interagissant entre elles. Elles constituaient donc l'intégralité du contenu matériel de l'univers, et, à mesure que celui-ci se dilatait en se refroidissant, elles perdaient une part croissante de leur énergie et leur degré d'agitation baissait progressivement. Lorsque la température a atteint une valeur suffisamment basse, les quarks, sensibles à l'interaction nucléaire forte, ont pu s'agréger pour former de nombreuses sortes de particules composites que les physiciens sont parvenus à identifier et à classer au cours des années 1960[1].

À peu près à la même époque, les chercheurs ont également pu démontrer que deux des quatre forces fondamentales, l'interaction électromagnétique et l'interaction nucléaire faible, qui sont très différentes l'une de l'autre, n'étaient alors pas indépendantes : dans le passé très lointain de l'univers, elles ne faisaient qu'une seule et même force, la force électrofaible, qui s'est rapidement dissociée en deux forces distinctes. Par la suite, les physiciens ont pu étendre cette démarche

---

1. Parmi elles figurent notamment les particules de la famille dite des « baryons », constitués, comme le proton ou le neutron, par l'assemblage de trois quarks.

unificatrice en intégrant dans leur théorie l'interaction nucléaire forte, et établir que dans les périodes les plus reculées de l'univers primordial, ces forces avaient des intensités comparables et jouaient des rôles d'importance équivalente.

Le formalisme que les physiciens ont ainsi mis sur pied réalise donc un assez bon score : il permet de décrire trois des quatre forces fondamentales, les forces électromagnétique et nucléaires, grâce aux mêmes principes mathématiques, en l'occurrence ceux de la physique quantique[1]. Jamais mis en défaut expérimentalement, ce qui est appelé le « modèle standard de la physique des particules » a pu être testé très finement et avec succès grâce à de gigantesques collisionneurs de particules, jusqu'à des énergies de l'ordre du TeV (mille milliards d'électronvolts). Cette valeur correspond à mille fois l'énergie de masse d'un proton (qui est environ égale à 1 GeV), soit à peu près l'énergie d'un moustique en vol[2] qui se trouve là concentrée en une seule particule, ce qui représente une densité d'énergie bien plus grande que celle qu'on trouve dans la matière ordinaire. La puissance prédictive du modèle standard n'est toutefois pas extensible à l'infini : ses équations ne fonctionnent plus dans les situations où l'énergie des particules devient justement un peu plus grande que celle d'un moustique en vol. Or, dans l'univers tout à fait primordial, les particules élémentaires pouvaient avoir beaucoup plus d'énergie qu'un TGV de compétition…

---

1. Il s'appuie en réalité sur une sous-catégorie des théories quantiques qu'on appelle les « théories de jauge ».
2. L'énergie de Planck est environ dix millions de milliards de fois plus grande que celle de cet insecte en vol.

Taper fort, c'est voir chaud...

Ouvrez-moi cette porte où je frappe en pleurant.
Guillaume Apollinaire[1]

Quel rapport, demandera-t-on, entre les particules, qui sont des objets très petits, et l'univers primordial ? Par quoi l'étude des premières pourrait-elle aider à la compréhension du second ? Les expériences réalisées aujourd'hui dans le domaine de l'infiniment petit permettraient-elles de voir ce qui a eu lieu dans le passé le plus lointain de l'univers ? La réponse à cette dernière question est oui, en vertu d'un argument crucial.

Cet argument tient tout entier dans le fait qu'au cours de l'évolution de l'univers les conditions physiques ont changé (dans des proportions si grandes que celles-ci sont difficiles à concevoir), mais pas les lois physiques elles-mêmes : par conséquent, en tous ses points d'espace-temps, l'univers a gardé la mémoire de ce qu'il a été ainsi que la possibilité d'y rejouer *à l'identique* le scénario de ses premiers instants, à condition bien sûr qu'il retrouve la situation physique qui était alors la sienne. Or, que font les physiciens lorsqu'ils provoquent de très violentes collisions de particules dans leurs accélérateurs de haute énergie ? Ils créent dans un tout petit volume et pendant une durée très brève des conditions physiques extrêmes, en l'occurrence une très

---

1. *Guillaume Apollinaire* est l'anagramme explosive de *Luminaire à la goupille*, expression qui illustre parfaitement ce que nous voulons dire ici : les collisionneurs de particules sont des sortes de torches qui éclairent l'obscurité de l'univers primordial.

haute température, et aussi une très grande densité d'énergie provenant de l'énergie des particules incidentes qui soudain se concentre en une toute petite zone de l'espace. Or, une très forte température et une très grande densité d'énergie, ce sont précisément les conditions physiques qui étaient celles de l'univers primordial ! Et puisque les lois physiques n'ont pas changé au cours du temps (elles demeurent telles qu'en elles-mêmes l'éternité ne les change pas), les phénomènes fulgurants que les physiciens des particules voient se dérouler sous leurs yeux sont exactement ceux qui se sont déjà produits, mais à l'abri des regards, dans le passé très lointain de l'univers !

À ce titre, le LHC, le plus puissant collisionneur de particules jamais construit, peut être considéré comme une sorte d'immense prothèse sensitive permettant de palper un épisode de l'histoire du monde qui demeurait jusqu'alors hors de portée. Il tape plus fort que les autres, et voit plus chaud et plus loin. Il consiste en un immense anneau souterrain installé au CERN de part et d'autre de la frontière franco-suisse.

Deux faisceaux de protons parcourent en sens inverse et 11 245 fois par seconde cette boucle dont la circonférence (27 km) est à peu près égale à celle du périphérique parisien, à une vitesse quasiment égale à celle de la lumière. Répartis tout au long de l'anneau, 1 252 aimants dipolaires supraconducteurs de 15 m de longueur, refroidis à l'hélium superfluide, au champ magnétique très élevé, guident les protons sur leur trajectoire circulaire, tandis que des cavités radiofréquence supraconductrices leur confèrent tour après tour l'énergie requise (un moustique en vol, soit plusieurs milliers de fois celle d'un proton au repos).

À intervalles réguliers, les deux faisceaux de protons se percutent frontalement, avec une violence inouïe, offrant ainsi une cure de jouvence spectaculaire à une toute petite portion de l'espace-temps de l'univers. Les particules qui sont créées par l'énergie du choc revivent brièvement les emportements cinématiques torrides qui furent les leurs dans la prime jeunesse de l'univers.

Malheureusement, cette cure de jouvence n'est pas aussi radicale qu'il le faudrait : les expériences actuelles sont encore loin, très loin d'atteindre l'énergie de Planck, celle du fameux mur, qui vaut environ 10^{19} GeV, soit quelques millions de milliards de fois plus que celle des protons du LHC[1]. On pourrait aussi dire (de façon impropre mais parlante) que le LHC voit l'univers tel qu'il était « 10^{-12} seconde après le big bang », alors que le mur de Planck se situe chronologiquement, lui, seulement « 10^{-43} seconde après le big bang ». La route est encore longue jusqu'à pouvoir expérimenter ce qu'envisagent les équations.

Pour espérer comprendre ce qui a pu se passer en amont du mur de Planck, il faudra donc en passer par l'intellect, les idées neuves, les théories audacieuses, dès lors que les expériences sont condamnées à le voir de très très loin, de fait, à ne pas le voir du tout : ce mur demeure bien « planqué » derrière une épaisse barricade d'ordres de grandeur. Et à défaut de mise sur pied d'une théorie permettant de le décrire, lui et ce qui l'a précédé,

---

1. Une autre façon d'exprimer cet écart gigantesque entre ce qui est accessible aux expériences et le mur de Planck consiste à comparer les dimensions spatiales que sonde le LHC, qui sont de l'ordre de 10^{-19} mètre, à la longueur de Planck, qui est de l'ordre de 10^{-35} mètre.

il faudra non pas nécessairement se taire (la poésie est toujours bienvenue), mais ne pas parler au nom de la science quand elle ne peut rien dire : à l'aide de quelles armes théoriques, quels résultats expérimentaux pourrions-nous produire un discours pertinent ?

Il n'empêche : nous comprenons maintenant pourquoi les physiciens des particules et les astrophysiciens en sont récemment venus à collaborer étroitement. En provoquant des collisions de particules à très haute énergie, les premiers recréent les événements physiques qui faisaient partie de la vie quotidienne (si l'on ose dire) des particules présentes dans les périodes tardives de l'univers primordial, ce qui intéresse diablement les seconds. D'autant plus que les physiciens des particules ont accès à des phénomènes que les astrophysiciens ne peuvent pas voir. Pourquoi donc ? Avec leurs télescopes, ces derniers observent l'univers par le seul biais de la lumière qu'ils sont capables de détecter, celle qu'émettent par exemple les étoiles et les galaxies. Cette lumière leur arrivant avec d'autant plus de retard que la source est éloignée dans l'espace, ils perçoivent l'ancienne jeunesse du ciel.

Mais il y a une limite à la profondeur temporelle de ces observations, qui vient de ce que, pendant les 380 000 ans qui ont suivi le big bang, la lumière ne pouvait pas se propager librement dans l'espace : la densité de matière était telle que les photons ne cessaient d'y interagir avec des particules de matière, de sorte que l'univers était un milieu opaque à sa propre lumière. Son refroidissement continu a toutefois fini par provoquer un changement de phase après 380 000 ans d'expansion, lorsque la température de l'univers n'était plus que de

3 000 kelvins : les électrons furent capturés par les noyaux, formant ainsi des atomes électriquement neutres. Comme les photons interagissent peu avec les atomes, ils purent enfin se propager librement dans l'univers, sans rencontrer d'obstacle à chaque pas. Ce rayonnement qui s'est libéré de la matière constitue aujourd'hui ce qu'on appelle le « fond diffus cosmologique » (détecté en 1964 par Arno Penzias et Robert Wilson). Nul signal électromagnétique ne pouvant nous parvenir de la première époque de l'univers (puisque la lumière ne s'y propageait pas), celle-ci demeure inaccessible aux télescopes, qu'ils soient au sol ou en orbite terrestre.

Heureusement, les expériences menées en physique des particules viennent à la rescousse : elles permettent d'éclairer rétrospectivement cette nuit primordiale, quand la lumière était encore piégée au sein de la matière. Elles voient donc l'univers à un âge plus jeune d'au moins 380 000 ans par rapport à celui que les astrophysiciens observent avec leurs télescopes.

Des équations qui vont dans le mur avant de l'atteindre

Elles avaient jusque-là évité les conflits ouverts.
François Mauriac

À ce jour, aucun résultat d'expérience n'est venu contredire les prédictions du modèle standard de la physique des particules. Cela signe-t-il pour autant la fin de l'histoire ? Les chercheurs sont les premiers à reconnaître que non. Car deux sortes de problèmes ont été identifiées. D'abord, à très haute énergie, certains des principes sur lesquels s'appuie ce modèle standard entrent (eux aussi) en collision violente les uns avec les autres, de sorte que les équations ne fonctionnent plus. Cette théorie n'est plus capable de décrire la matière lorsque l'énergie devient grosso modo plus élevée que celle des protons du LHC, qui est de quelques milliers de GeV. Un nouveau cadre conceptuel devient donc nécessaire pour décrire les phénomènes qui se sont déroulés plus tôt dans l'histoire de l'univers, lorsque la densité d'énergie était beaucoup plus élevée que celle aujourd'hui accessible aux collisionneurs de particules. Ensuite, le modèle standard qui décrit parfaitement trois des quatre interactions fondamentales dans le cadre de la physique quantique laisse à la marge la quatrième force, la gravitation, décrite seule dans son coin, comme nous l'avons vu, par la relativité générale. Dès lors, comment construire un cadre synthétique permettant de décrire à la fois la gravitation et les trois autres forces ? L'affaire s'annonce délicate, pour une raison simple : l'espace-temps du modèle standard de la physique des particules est rigide, plat, complètement découplé de la matière qu'il contient (c'est l'espace-temps de la relativité restreinte), tandis que celui de la relativité générale est souple, courbé et dynamique, en interaction constante avec la matière et l'énergie qui se trouvent en son sein.

La conséquence de cette différence de statut est que, lorsqu'on extrapole les lois physiques dans le passé le plus lointain de l'univers, on finit par tomber sur un état dans lequel elles commencent par se bousculer, puis finissent par entrer en conflit ouvert les unes avec les autres. Des quantités infinies germent spontanément au détour des calculs, de sorte que l'espace-temps imbriqué à la matière par le biais de la gravitation se transforme en une mer non navigable, agitée de fluctuations incontrôlables : les calculs deviennent incertains, voire impossibles, et les théoriciens en perdent leur boussole.

Cela tient à ce que la physique quantique et la théorie de la relativité générale s'appuient sur des principes et des concepts complètement différents, et en un sens contradictoires les uns avec les autres. Mais on ne s'en rend généralement pas compte, car leurs domaines de validité sont bien distincts : la physique quantique est reine lorsqu'il s'agit de décrire le monde de l'infiniment petit, celui de l'atome, des particules élémentaires et de tous les phénomènes qui se produisent à toute petite échelle ; la relativité générale l'est à son tour lorsqu'il s'agit de décrire le monde de l'infiniment grand, celui des galaxies, des amas de galaxies et de tous les phénomènes qui mettent en jeu de très grandes quantités de matière et d'énergie.

En février 2016, une annonce spectaculaire est venue renforcer sa crédibilité : la détection directe d'« ondes gravitationnelles », prédites exactement un siècle plus tôt par Albert Einstein. Un an après avoir publié les équations de la relativité générale, il s'était demandé si une masse en mouvement accéléré pouvait rayonner de telles ondes, de la même façon qu'une charge électrique qu'on accélère rayonne des ondes électromagnétiques. Il avait découvert rapidement des solutions de ses équations correspondant à des ondulations de l'espace-temps se propageant à la vitesse de la lumière. Au cours de leur trajet, elles devraient secouer l'espace-temps, ce qui aurait pour effet de modifier brièvement la distance séparant deux points dans l'espace. La gravitation étant très faible en intensité, de telles ondes sont très difficiles à détecter. De fait, elles n'ont pu l'être qu'avec la complicité d'un événement monstrueux qui s'est produit il y a plus d'un milliard d'années : deux trous noirs voisins ont fusionné à une vitesse égale aux deux tiers de la vitesse de la lumière. Ce phénomène hyperviolent a libéré une énergie inimaginable et engendré un train d'ondes gravitationnelles qui ont progressivement perdu de la puissance au cours de leur long voyage ; leur passage au travers de la Terre, le 14 septembre 2015 à 9 heures 50 minutes et 45 secondes (Temps Universel), a pu être détecté grâce aux instruments extrêmement sensibles de l'expérience américaine LIGO.

Jusqu'à présent, aucune expérience n'a pu explorer de systèmes physiques dont la description théorique nécessiterait *à la fois* la théorie de la relativité générale et la physique quantique. Cela tient au fait que l'une et l'autre concernent des domaines ou des situations qui, dans notre environnement, ne se recouvrent pas et sont même bien séparés : il y a d'une part les phénomènes quantiques, d'autre part les phénomènes gravitationnels. Mais, point capital, une telle séparation ne pouvait avoir cours dans l'univers d'avant le mur de Planck, lorsque celui-ci était à la fois de toute petite taille et gorgé d'énergie : à cette époque, dont nul ne sait combien de temps elle dura – ni même si cela a un sens de se poser cette question –, les dimensions spatiales de l'univers étaient si minuscules et les énergies si colossales que la matière et l'espace-temps s'enchevêtraient, se mélangeaient tant et si bien qu'aucun calcul ne sait aujourd'hui traduire cette situation avec exactitude.

Les théoriciens qui tentent de décrire cette phase ultra-chaude et ultra-dense ne savent plus à quels saints se vouer et se sentent autorisés à oser toutes les conjectures : l'espace-temps posséderait plus de quatre dimensions ; à toute petite échelle (en deçà de l'échelle de Planck), il serait discontinu (constitué d'entités insécables, de taille non nulle) plutôt que lisse ; ou encore il serait théoriquement dérivable ou déductible de quelque chose qui n'est pas un espace-temps…

Allons y voir de plus près. À l'issue de ces excursions très « physiques » (autant vous prévenir) dans les contreforts des théories aujourd'hui à l'ébauche, l'instant zéro pourrait bien passer un sale quart d'heure.

La théorie des supercordes : le bonheur est-il dans le pré- ?

> *Elle avait un genre de beauté qui n'est pas pour ce monde. Pauvre fille, condamnée à arpenter ces couloirs mille ans.*
>
> Bob Dylan

La démarche la plus suivie pour tenter d'approcher voire de franchir le mur de Planck est celle de la « théorie des supercordes », qui part de l'idée que les particules ne seraient pas des objets ponctuels, mais des sortes de cordes vibrantes. Les premières bases de cette théorie furent posées dans les années 1970 par Gabriele Veneziano, Joël Scherk, Bernard Julia, John Schwarz et Michael Green, et des travaux qui s'en inspirent se poursuivent très activement un peu partout dans le monde. Depuis l'époque des pionniers, les perspectives unificatrices que la construction de cette théorie laisse espérer n'ont cessé de gagner en puissance. D'ailleurs, même ceux qui doutent qu'elle soit la bonne solution au problème posé le reconnaissent : la théorie des supercordes a quelque chose de fascinant. Elle s'appuie sur un postulat très simple, quasi lapidaire, mais dont les conséquences sont à la fois considérables et spectaculaires : n'importe quelle particule élémentaire, que les physiciens considéraient jusqu'alors comme un point matériel de taille nulle, n'est en réalité qu'une corde vibrante obéissant aux lois de la relativité restreinte et de la physique quantique.

En d'autres termes, si l'on pouvait regarder une particule élémentaire avec une loupe extrêmement puissante, on découvrirait qu'il s'agit d'un objet non pas ponctuel, mais unidimensionnel, une sorte de fil (s'il a des extrémités) ou de boucle (s'il n'en a pas). Cette corde, qui est donc ouverte ou fermée, vibre et bouge à des vitesses pouvant atteindre celle de la lumière, de sorte qu'on doit nécessairement utiliser la théorie de la relativité restreinte pour décrire ses mouvements. Cette théorie fournit en effet la bonne cinématique, celle permettant de décrire le mouvement d'objets ayant des vitesses très élevées (au sens où celles-ci ne sont plus négligeables devant celle de la lumière), mais à la condition que ces objets ne soient pas soumis à la gravitation. La théorie de la relativité générale, elle, ne figure pas dans les prémisses de la théorie, ce qui signifie que celle-ci « commence » sans prendre acte de l'existence de la gravitation. Mais, nous le verrons, la gravitation va apparaître, comme par miracle, en tant que conséquence directe des hypothèses de la théorie des supercordes.

Précisons qu'en réalité cette théorie propose non seulement une modification de la représentation des objets fondamentaux de l'univers, mais aussi de celle de l'espace-temps : celui-ci est considéré comme une arène donnée *a priori* (c'est le cas dans la théorie de la relativité restreinte, mais pas dans celle de la relativité générale), mais avec un nombre de dimensions qui devient strictement supérieur à quatre. Plus exactement, la théorie remplace toutes les particules que nous connaissons par un unique objet étendu, la supercorde, qui vibre dans un espace-temps doté de six, sept ou vingt-deux dimensions de plus que l'espace-temps ordinaire[1]. Ces dimensions supplémentaires seraient repliées sur elles-mêmes à une très petite échelle, de sorte qu'elles nous seraient imperceptibles, tout comme un tissu nous apparaît tel un objet à deux dimensions – alors qu'il en a trois – du fait de l'extrême minceur relative des fils qui le constituent.

De la même façon qu'une corde de violon peut engendrer plusieurs harmoniques, les différents modes de vibration de la supercorde correspondent aux différentes particules possibles. Les particules connues (celles que nous sommes capables de produire en laboratoire) correspondent aux modes de vibration dont les fréquences sont les plus basses : par exemple, un mode correspond à l'électron, un autre au neutrino, un troisième au quark... Mais les modes dont les fréquences

---

1. Le nombre de ces dimensions supplémentaires d'espace-temps est imposé par des arguments de cohérence de la théorie.

sont plus élevées doivent correspondre à d'autres particules, beaucoup plus lourdes, jamais observées, qui
restent donc à découvrir. Quant aux dimensions supplémentaires d'espace-temps, elles sont « compacti-
fiées » selon des variétés géométriques dites de
Calabi-Yau, dont la présentation risquerait d'altérer la
bonne ambiance de notre ouvrage (comme l'écrit
Jacques Réda, « Ah qu'il fait froid dans les espaces de
Calabi-Yau, bien plus que dans les mers où l'on pêche
le cabillaud[1] »).

De fait, le cadre conceptuel au sein duquel sont
décrites les supercordes n'est pas imposé de façon
unique. Plusieurs théories des supercordes existent[2]
mais, point capital, toutes rendent *nécessaire* l'existence
de la force de gravitation (telle que décrite par la relativité générale d'Einstein). Autrement dit, dans la théorie
des supercordes, la gravitation, au lieu d'être simplement « installée » au sein du formalisme, acquiert le statut d'une prédiction tirée des principes mêmes de la
théorie. Elle devient en quelque sorte conceptuellement
nécessaire. Telle une fée, la théorie de la relativité

---

1. Jacques Réda, *La Physique amusante*, Paris, Gallimard, 2009,
p. 28.
2. Plusieurs théories des supercordes ont été développées depuis
trente ans. Cette multiplicité des théories a posé de sérieux problèmes de cohérence, puisque l'idée des supercordes avait justement été proposée pour construire un cadre théorique unique…
En 1994, un certain ordre revint dans la maison, lorsque fut
démontré que chacune des versions proposées était un cas particulier d'une théorie plus générale, baptisée « théorie M », qui reste à
construire. Cette unification a pu se faire grâce à l'existence de
symétries, appelées « dualités », qui relient les différentes théories
les unes aux autres.

générale jaillit en effet de la nécessité de l'existence
d'une particule ayant toutes les propriétés du graviton,
qui est censé être le médiateur de la gravitation. Ce graviton apparaît dans les calculs comme un état particulier
de vibration d'une corde fermée, c'est-à-dire d'une
boucle[1]. Partant d'un cadre formel régi par la physique
quantique et la théorie de la relativité restreinte qui
n'intègrent ni l'une ni l'autre la gravitation, on est
conduit par les principes mêmes de la théorie des supercordes aux équations de la relativité générale, ce qui
permet de dire que cette nouvelle théorie est une
authentique théorie quantique de la gravitation. C'est
cette capacité d'engendrement de ce qu'elle ne contient
pas au départ qui fait toute la beauté de la théorie des
supercordes, son immense séduction, et même sa
« magie », aux dires de nombreux « cordistes ».

La théorie des supercordes est également capable de
faire apparaître, à partir de ses principes les plus fondamentaux, les théories physiques dont les physiciens se
servent pour décrire les phénomènes qui se déroulent
aux échelles spatiales auxquelles ils ont expérimentalement accès[2]. De fait, elle « contient » ou « englobe » les

---

1. Au même titre qu'une vibration particulière d'une corde
ouverte correspond exactement au photon, qui est la particule
médiatrice de l'interaction électromagnétique. On peut donc dire
de la théorie des supercordes qu'elle englobe la théorie quantique
de l'électromagnétisme (qu'on appelle l'« électrodynamique quantique »).
2. La théorie des supercordes engendre notamment la « théorie
quantique des champs », qui résulte du mariage entre la physique
quantique et la théorie de la relativité restreinte et constitue le
formalisme à la base du modèle standard de la physique des particules.

théories physiques connues, celles qui opèrent à des échelles spatiales supérieures à 10^{-19} mètre (soit des échelles bien plus grandes que la longueur de Planck, qui est, rappelons-le, de 10^{-35} mètre). Elle s'en distingue néanmoins radicalement lorsqu'on s'intéresse aux phénomènes ayant lieu à des échelles si petites que la taille finie (non nulle) de la supercorde ne peut plus être considérée comme négligeable. Cette situation n'a pas cours aujourd'hui, dans notre univers actuel, qui est à la fois immense, dilué et froid, mais il en allait autrement pendant l'ère de Planck (au voisinage du mur du même nom), quand la taille de l'univers (ou son rayon de courbure) était comparable à celle d'une supercorde. Malheureusement, la théorie ne permet guère de décrire l'univers aux abords de ce que nous appelons le big bang, pour une raison simple à comprendre : les calculs ne sont vraiment possibles qu'à basse énergie, lorsque les supercordes n'interagissent que faiblement entre elles ; or, dans l'univers tout à fait primordial, la densité de matière était très élevée et les cordes, entassées les unes sur les autres, interagissaient au contraire de façon extrêmement forte – situation qui n'est pas encore calculable avec précision.

Cette théorie apporte néanmoins un résultat dont la portée est capitale : elle prédit que la température au sein de l'univers ne peut être supérieure à une certaine valeur maximale, de sorte qu'elle n'a jamais pu être infinie, à aucun moment de son histoire. À cette limite supérieure de la température sont associées des limites supérieures de la densité et de la courbure de l'espace-temps. Cela signifie que ces grandeurs n'ont pas non plus pu dépasser certaines valeurs. L'univers n'a donc jamais été ponctuel (sa taille n'a jamais été nulle ni sa densité infinie), ce qui revient à dire que la singularité prétendument originelle dont on a pris l'habitude de parler n'a jamais eu lieu. En d'autres termes, si la théorie des supercordes est exacte, le big bang tel que nous le concevons ordinairement n'a pas pu se produire. Reste à déterminer par quoi il convient de le remplacer.

Nous avons dit que lorsque la densité et la température sont très élevées, les calculs en théorie des supercordes deviennent quasiment impossibles, de sorte que l'univers primordial n'est pas intégralement descriptible. Malgré tout, plusieurs modèles simplifiés, élaborés à partir des principes mêmes de la théorie des supercordes, se risquent à en dépeindre certains aspects. Trois possibilités se distinguent :

1. Certains scénarios, dits de « pré-big bang », remplacent le big bang par une phase extrêmement dense qui pourrait servir de « pont quantique » entre notre univers en expansion et un autre qui l'aurait précédé (en fait le même, mais en contraction). Différentes versions de ces modèles ont été proposées, notamment par Gabriele Veneziano, l'un des fondateurs de la théorie des supercordes, professeur au Collège de France, et Maurizio Gasperini, professeur à l'université de Bari. L'univers aurait connu *avant* le big bang une évolution symétrique de celle qu'il a eue *après* le big bang[1] : au cours de cette phase antécédente, la densité de matière, au lieu de décroître comme dans l'univers actuel, devient de plus en

---

1. Gabriele Veneziano, « L'univers avant le big bang », *Pour la science*, juin 2004.

plus élevée, la température augmente, tandis que les dimensions de l'univers diminuent, jusqu'à ce que la densité d'énergie et la température atteignent les valeurs maximales permises par la théorie des supercordes. À ce moment-là, l'univers rebondit en quelque sorte sur lui-même : au lieu de se contracter, il se dilate ; toutes les grandeurs qui augmentaient se mettent à décroître, et vice versa. Ce phénomène de renversement correspond à ce que nous appelons le big bang, mais sa signification change : l'univers antérieur au big bang peut être vu comme une sorte d'image « miroir » de l'univers postérieur au big bang, qui lui-même n'est plus qu'une transition entre deux phases distinctes d'un seul et même univers. Dans cette optique, la question de savoir ce qui se passait cinq minutes avant le big bang n'est plus métaphysique, et encore moins vaine : elle devient une question de physique théorique.

2. D'autres scénarios imaginent que notre univers serait une sorte de drapeau à quatre dimensions, ce qu'on appelle une « brane[1] », flottant dans un espace-temps plus vaste que lui. Nous avons rappelé que la théorie des supercordes « standard » suppose que les dimensions supplémentaires d'espace-temps sont repliées sur elles-mêmes à des échelles extraordinairement petites, sans doute de l'ordre de la longueur de Planck (10^{-35} mètre). Mais une autre hypothèse existe, qui consiste à dire

---

1. Une *brane* ou, plus exactement, une *p-brane*, est un objet étendu en théorie des supercordes. Le *p* est le nombre de dimensions *spatiales* dans lesquelles la brane a des extensions. Il faut ajouter à ce nombre une dimension temporelle pour obtenir le nombre total de dimensions. Par exemple, une *1-brane* est une brane à une seule dimension spatiale et une dimension temporelle, soit deux dimensions d'espace-temps au total. Il s'agit alors d'une « surface » d'univers.

quasiment le contraire, à savoir que ces dimensions supplémentaires seraient de taille infinie. Notre univers serait
une sorte de surface à quatre dimensions, une brane sur
laquelle les particules de matière (électrons, quarks,
neutrinos…), qui correspondent à des cordes ouvertes,
seraient condamnées à vivre[1], tandis que les cordes fermées, tel le graviton, pourraient, elles, accéder aux dimensions supplémentaires, c'est-à-dire à l'espace-temps
complet. Depuis 2001, Justin Khoury, Paul Steinhardt et
Neil Turok développent dans ce cadre le modèle dit
« ekpyrotique » (du mot grec signifiant « conflagration »),
car il ressemble à la thèse de l'*ekpyrosis* que défendait
Héraclite au Ve siècle av. J.-C. : l'univers est un feu qui
naît, s'embrase, s'éteint puis renaît à nouveau[2]. Ce scénario s'appuie sur l'hypothèse que notre brane n'est pas
seule au monde, que d'autres univers (d'autres branes)
flottent à proximité du nôtre. L'espace qui les sépare est
constitué de vide. Or, en physique quantique, comme
nous le verrons bientôt, le vide est certes vide de particules, mais pas d'énergie. Il se comporte comme une sorte

---

1. En fait, plusieurs modèles cosmologiques ont émergé de l'introduction des branes en théorie des supercordes. Mais l'idée générale
est toujours la même : notre univers serait confiné sur une brane.
Cela signifie que les particules de matière (quarks, électrons…) et
les interactions fondamentales autres que la gravitation (transportées par les particules telles que le photon, les gluons, les bosons
intermédiaires) ne sont autorisées à se déplacer qu'à l'intérieur de
la brane correspondant à notre univers, tandis que la gravitation a
la possibilité, elle, de se déplacer également dans l'espace-temps
complet dont notre univers ne représente qu'un sous-espace.
2. « La foudre gouverne l'univers, écrit Héraclite dans l'un de ses
fragments, elle est le feu éternel, un feu sage et auteur de l'administration du monde » (Héraclite, Fragment LXIV, tr. A. Jeannière,
Aubier-Montaigne, 1977).

de ressort, qui conduit deux branes à pouvoir entrer en collision tandis qu'elles se contractent. L'énergie du choc est convertie en matière et en rayonnement. Si un tel événement s'était produit dans le passé avec notre brane (notre univers), nous l'interpréterions de là où nous sommes comme s'il s'était agi de ce que nous appelons le big bang. Après la collision, les deux branes entrent en phase d'expansion, les galaxies se forment. Mais à mesure que les branes s'éloignent l'une de l'autre, l'énergie du vide vient freiner leur éloignement puis enclencher leur rapprochement. De nouveau en mouvement l'une vers l'autre, elles vont encore une fois entrer en collision, ce qui provoquera un nouveau big bang, et ainsi de suite.

3. D'autres pistes, explorées par plusieurs physiciens dont Stephen Hawking, aboutissent à l'idée que le concept même d'origine de l'univers se perd dans les brumes quantiques de l'espace-temps, où les histoires s'enchevêtrent et se superposent et où le concept de condition initiale devient même problématique. Les concepts d'espace et de temps que nous utilisons pour situer et penser cette origine ne seraient que des concepts émergents qui n'ont surgi qu'à partir d'un certain moment de l'histoire de l'univers. Parler d'une origine temporelle n'aurait donc aucun sens. Stephen Hawking a proposé une conjecture, celle d'« univers sans bord » (*no boundary universe*), selon laquelle l'univers est de volume fini mais n'a pas de limite, ce qui implique qu'il n'a pas eu de commencement[1].

---

1. On pourra consulter une remarquable analyse de cette conjecture dans l'article de Jean-Jacques Szczéciniarz, « La cosmologie comme science spéculative ou comme théorie philosophique

De multiples variantes existent autour de ces modèles, que nous ne présenterons pas ici car elles ne changent pas fondamentalement la donne. Mais remarquons qu'aucune ne donne corps à l'idée d'une création *ex nihilo*. Elles interprètent le big bang soit comme une transition de phase entre deux périodes de l'univers, soit comme l'effet d'une sorte de collision entre la brane qui constituerait le nôtre et une autre brane, ou encore privent de pertinence l'idée que l'univers a pu avoir un commencement. Dans tous les cas, l'instant zéro s'évanouit, et la singularité initiale, celle des modèles classiques de big bang qui ne prenaient en compte que la gravitation, se trouve pulvérisée : la singularité n'a tout simplement pas eu lieu.

En donnant corps à l'idée d'un univers qui aurait précédé notre univers actuel, la théorie des supercordes, bien qu'elle demeure à l'état d'ébauche, apparaît proprement révolutionnaire puisqu'elle met littéralement le monde à l'envers : d'une part, elle permet de penser le big bang autrement que comme… l'origine de l'univers ; d'autre part, elle invite à considérer que, à rebours du sens des mots, l'univers dit « primordial » ne correspond nullement aux tout premiers instants de son existence, mais à une phase très chaude et très dense que celui-ci aurait traversée il y a 13,7 milliards d'années.

Bien sûr, ces conclusions ne valent que si la théorie des supercordes est la bonne. Et il est encore trop tôt pour le dire : la taille des supercordes est si petite par rapport aux dimensions spatiales que leur existence n'a pu être prouvée. D'où une certaine impatience, qui

---

scientifique », *in* D. Parrochia et A. Barrau (sous la dir.), *Forme et origine de l'univers*, *op. cit.*

grandit. D'où également une certaine frustration, due au déphasage entre les espoirs démesurés suscités par ses premiers succès sur le plan mathématique (on l'a vite présentée comme la théorie du tout) et leur portée réelle en physique. D'où, enfin, un certain malaise éprouvé par quelques physiciens, agacés qu'on la présente comme la « vérité » quand elle n'a encore reçu aucun assentiment de la nature, ni par le biais de l'observation ni par celui de l'expérimentation[1]. Toutefois, depuis plus de trente ans, cette théorie s'est montrée capable de fédérer une relation très fructueuse entre les mathématiques pures et la physique théorique, alors même que son statut demeure celui d'un programme de recherche.

Reste qu'une question cruciale se pose à son sujet : ce nouveau formalisme constitue-t-il une véritable théorie scientifique, « testable » au sens de Karl Popper[2], ou bien est-il condamné à n'être qu'une conjecture invérifiable, une sorte de métaphysique mathématique ? Nul ne conteste que la théorie des supercordes soit mathématiquement belle. Mais est-elle mathématiquement belle et physiquement vraie ?

---

1. Voir notamment Lee Smolin, *Rien ne va plus en physique ! L'échec de la théorie des cordes*, Paris, Dunod, 2007.
2. Le philosophe autrichien Karl Popper (1902-1994) a défini un critère de démarcation entre les théories qui peuvent à bon droit prétendre être dites « scientifiques » et celles qui relèvent de la pseudo-science. Ce critère est souvent appelé « critère de falsifiabilité » ou de « réfutabilité ». Une théorie scientifique se distingue en ce que de l'ensemble des propositions qui la constituent on peut déduire au moins une prédiction qui, si elle n'était pas vérifiée expérimentalement, la réfuterait. Elle doit donc pouvoir être suffisamment précise et tranchante pour offrir des angles vifs permettant de la confronter aux données de l'expérience.

Les physiciens se sont souvent demandé si la beauté d'une théorie mathématique pouvait suffire à garantir sa « véracité physique ». Cette question n'a jamais cessé de les diviser. Il y a toujours eu une tension irréductible entre les esprits captivés par le charme des belles théories et ceux, plus sobres, qui insistent surtout sur la capacité de ces mêmes théories à nous apprendre des choses exactes sur la nature.

Pour les premiers (en général grands lecteurs de Platon), le Beau et le Vrai sont deux facettes d'une même réalité, de sorte que l'esthétique doit être érigée au rang de principe méthodologique. Ainsi pensait Paul Dirac, l'homme qui élabora en 1928 l'équation qui lui permit de prédire l'existence de l'antimatière[1]. À ses yeux, l'élégance d'une équation demeurait le meilleur gage de son exactitude : dès lors que l'équation est belle, la question de son adéquation à l'expérience n'est plus que de seconde importance. La beauté finit toujours par l'emporter.

Pour les seconds, plus pragmatiques, pareille position est devenue impossible à défendre, car l'histoire même de la physique l'a maintes fois démentie. On ne compte plus les « belles » théories physiques qui ont échoué sur de minables petits faits[2]. De tels physiciens considèrent

---

1. Voir « Paul Dirac ou la beauté silencieuse du monde », *in* Étienne Klein, *Il était sept fois la révolution. Albert Einstein et les autres...*, Paris, Flammarion, coll. « Champs », 2007.
2. Pour ne donner qu'un exemple, la magnifique théorie ondulatoire de la lumière forgée au XIXe siècle est apparue incapable de rendre compte des résultats de l'expérience dite « des deux fentes » lorsque le flux de la lumière devient très faible (voir Étienne Klein, *Petit voyage dans le monde des quanta*, Paris, Flammarion, coll. « Champs », 2004, chapitre 1).

que la beauté, à la fois subjective et soumise à des variations historiques, ne saurait constituer un critère objectif en physique. Des idées trop arrêtées en matière d'esthétique peuvent même induire en erreur. Au demeurant, l'histoire des sciences révèle plutôt le nomadisme des scientifiques : ils ne fixent jamais définitivement leurs critères esthétiques et se montrent prêts à en changer si cela leur permet de s'engager dans d'autres « styles » de théories jugées plus prometteuses.

Aujourd'hui, un certain nombre de physiciens théoriciens, peu séduits par le « style » de la théorie des supercordes à laquelle ils reprochent de s'appuyer sur un cadre spatio-temporel donné *a priori* (ce qui contredit à leurs yeux le message principal de la relativité générale), doté de dimensions supplémentaires qui n'ont jamais été observées, tentent de construire sur de tout autres bases une théorie quantique de la gravitation. Ils partent de principes très différents, plus conformes à l'esprit même de la relativité générale qu'ils veulent prolonger au sein même du monde quantique : selon eux, une théorie physique susceptible d'intégrer la relativité générale doit, comme elle, pouvoir être formulée sans référence aucune à un espace-temps posé *a priori*, c'est-à-dire à un « arrière-fond préexistant ».

Nous examinerons rapidement leurs travaux pour voir s'ils concluent, eux aussi, à la disparition de la singularité initiale, à un affaiblissement de l'idée d'explosion primordiale à partir de rien : selon leurs calculs, à quoi pourrait bien correspondre le big bang ? A-t-il jamais eu lieu ?

La théorie quantique à boucles :
l'univers, un objet bondissant ?

> *Pas de boulet théorique là-dedans, c'est pure*
> *géométrie. Je ne suis pas bon en maths, mais je sais*
> *que l'univers répond à des principes mathéma-*
> *tiques, que je les comprenne ou pas.*
>
> Bob Dylan

Durant les années 1970, de très nombreuses méthodes d'unification de la physique quantique et de la relativité générale ont été proposées. Ces théories ont beau « s'appuyer » sur un espace-temps différent, rigide dans le premier cas, souple dans le second, toutes partent du principe qu'il est continu, c'est-à-dire lisse, sans discontinuités. Cette hypothèse commune aux deux formalismes n'a naturellement pas été abandonnée par les physiciens qui cherchaient à les unifier. Or toutes leurs tentatives se sont révélées infructueuses ou problématiques. Constatant l'impasse, la plupart des chercheurs en ont conclu que la « quantification » de la relativité générale (au sens de la rendre compatible avec la physique quantique) obligeait à recourir à des postulats ou à des principes radicalement nouveaux, non inclus dans la physique quantique ni dans la relativité générale : dimensions supplémentaires d'espace-temps (comme nous venons de le voir avec la théorie des supercordes), nouvelles particules, nouvelles symétries (par exemple la « supersymétrie » dont nous reparlerons), nouvelles structures mathématiques[1]... Mais

---

1. Dans ce registre très fourni, on peut citer, outre la théorie des supercordes, la « théorie des twisters » de Roger Penrose, les

quelques chercheurs ont réagi très différemment à l'échec des tentatives précédentes, notamment Abhay Ashtekar, Ted Jacobson, Carlo Rovelli et Lee Smolin, fondateurs de la « théorie de la gravitation quantique à boucles », qui se sont demandé si l'hypothèse de continuité de l'espace-temps n'en serait pas la cause.

Que donneraient, s'interrogèrent-ils, les travaux déjà menés si l'on ne supposait plus que l'espace-temps est continu ? Ils ont commencé par mettre au point une méthode permettant de faire des calculs sans supposer que l'espace est lisse, en prenant bien soin de ne faire aucune hypothèse qui aille au-delà des principes déjà contenus dans les formalismes respectifs de la physique quantique et de la relativité générale. En particulier, ils ont conservé deux des principes clefs de la théorie d'Einstein, qui concernent la structure de l'espace-temps.

Le premier est l'« indépendance de fond » : l'espace-temps lui-même doit être considéré non pas comme une arène fixée, indépendante de ce qui s'y joue, mais comme un authentique objet physique dont la structure et la géométrie dépendent des effets qu'ont sur lui la matière et l'énergie (rappelons que la théorie des cordes n'obéit pas à ce principe).

Le second principe concerne les coordonnées d'un événement dans l'espace-temps : pour les définir, on doit pouvoir utiliser n'importe quel système de coordonnées (ou référentiel) dans l'espace-temps, sans que le choix effectué change la forme des équations de la

---

géométries non commutatives d'Alain Connes et la supergravité (pour en savoir plus, voir *Le facteur temps ne sonne jamais deux fois*, chapitre 8).

théorie. Un point de l'espace-temps ne doit en somme être défini que par les événements physiques qui s'y déroulent, et non par un jeu particulier de coordonnées (en d'autres termes, aucun système de coordonnées ne doit pouvoir être considéré comme « spécial », conformément à ce qu'impose la théorie de la relativité générale). Cette « invariance par difféomorphisme » (tel est son joli petit nom…) suggère de considérer que le champ gravitationnel est plus essentiel que l'espace-temps lui-même. Cette idée très puissante avait guidé Einstein lors des tout premiers développements de sa théorie de la relativité générale.

Combinant ces deux principes avec les techniques de calcul de la physique quantique, les quatre chercheurs sont parvenus à élaborer un langage mathématique permettant de déterminer si l'espace-temps est continu, lisse (comme le supposent à la fois la physique quantique et la théorie de la relativité générale), ou discontinu, granulaire (« discret » comme disent les physiciens). La conclusion à laquelle ils sont arrivés est que l'espace-temps n'est pas continu, mais granulaire : il ressemble à un morceau d'étoffe tissé de fibres distinctes, séparées les unes des autres.

Cette discrétisation de l'espace constitue la base de la théorie de la gravité quantique « à boucles », ainsi appelée car elle débouche sur l'idée que l'espace-temps serait structuré en boucles minuscules aux très petites échelles. Elle implique que les aires et les volumes sont eux-mêmes « quantifiés », au sens où ils ne peuvent prendre que des valeurs particulières, correspondant à des multiples entiers de quanta élémentaires de surface ou de volume. La valeur de ces quanta élémentaires de surface

et de volume est elle-même déterminée par la longueur
de Planck, qui, rappelons-le une dernière fois, est de
l'ordre de 10^{-35} mètre (vous êtes toujours là ?...). Cette
longueur, qui correspond à la taille de l'univers au
moment où il traversait le mur de Planck, se trouve
ainsi correspondre à l'échelle en deçà de laquelle la géométrie de l'espace ne peut plus être considérée comme
lisse. En d'autres termes, avant le mur de Planck,
l'espace-temps n'était pas continu : il y avait des « atomes
d'espace-temps ». La plus petite aire possible est de
l'ordre du carré de la longueur de Planck, soit 10^{-70} mètre
carré, ce qui vous permet de dire dans les dîners mon-
dains que la superficie de votre appartement contient
environ 10^{72} aires de Planck. Quant au plus petit volume
possible, il est de l'ordre du cube de la longueur de
Planck, soit 10^{-105} mètre cube. Ainsi la théorie de la gravité quantique à boucles prédit-elle qu'il y a 10^{105} « atomes
de volume » dans un mètre cube, soit bien davantage
qu'il n'y a de mètres cubes dans l'univers observable
(10^{91}). De très grands nombres peuvent sommeiller dans
de fort petites choses...

La trame formée par les fibres de l'espace-temps est
tellement serrée que celui-ci, « vu de haut », continue de
ressembler à un continuum dont l'évolution est bien
décrite par la théorie de la relativité générale habituelle.
Mais, dans les conditions de densité d'avant le mur de
Planck, les énergies sont si élevées que la structure discrète de l'espace-temps fait sentir ses effets, de sorte que
les prédictions de la théorie de la gravité quantique à
boucles en viennent à s'écarter de celles de la relativité
générale, de façon parfois radicale : la gravitation pourrait
notamment devenir répulsive ! Comment expliquer cela ?

Une analogie extraite de la vie quotidienne va nous aider à comprendre. Imaginons que l'espace soit une éponge et que l'énergie soit de l'eau. L'éponge peut stocker de l'eau, mais pas en quantité infinie. Quand elle est totalement imbibée, elle ne peut plus absorber de liquide et, au contraire, elle le repousse. De façon similaire, un quantum d'espace ne peut stocker qu'une quantité finie d'énergie, et quand la densité d'énergie devient trop importante, des forces répulsives apparaissent. Du fait de ce phénomène, aucune région de l'espace ne peut avoir une densité d'énergie infinie. En d'autres termes, l'apparition d'une singularité (qui, rappelons-le, correspond justement à une densité d'énergie infinie) est impossible selon la théorie de la gravitation quantique à boucles.

Cette théorie paraît très exotique, d'autant qu'elle semble également impossible à vérifier expérimentalement, tant la longueur de Planck – qui est sa longueur de référence – est inaccessible. Pourtant, elle est testable, du moins en principe, grâce à des phénomènes astronomiques dont elle prétend qu'ils seraient modifiés par la structure granulaire de l'espace, par exemple la propagation de la lumière dans l'univers. La théorie prévoit en effet que si des photons d'une longueur d'onde donnée se déplacent au sein d'un tel espace granulaire, leur longueur d'onde se modifiera au cours de leur propagation, d'une façon qui peut être précisément quantifiée[1].

_____

1. Les calculs montrent en effet qu'au cours de la propagation dans l'espace, la modification de la longueur d'onde d'un rayonnement lumineux serait d'autant plus grande que cette longueur d'onde est plus petite (de la même façon que les roues d'une poussette sont plus sensibles aux irrégularités d'une route que les pneus d'un

Mais ce sont surtout les prédictions cosmologiques de la théorie de la gravité quantique à boucles qui nous intéressent ici. Martin Bojowald, de l'université de Pennsylvanie, a récemment montré que le big bang n'est pas un grand boum, mais plutôt un rebond violent qui a suivi une contraction très rapide de l'univers[1]. Selon cette théorie, rappelons-le, la densité d'énergie dans un atome d'espace ne peut pas dépasser un certain seuil qui, d'après les calculs, s'élève à mille milliards de fois la masse du Soleil contenue dans une région de la taille d'un proton. Une valeur certes très élevée, mais finie. Là est le point capital. Car lorsque l'univers, du fait de sa contraction antérieure, a atteint cette valeur maximale, il n'a pas eu d'autre choix que de violemment rebondir

---

camion). Pour les longueurs d'onde correspondant à la lumière visible, cette variation est beaucoup trop faible pour qu'on puisse espérer la détecter. Mais on peut profiter du fait que ces effets, bien qu'infimes, s'additionnent au fur et à mesure que la distance parcourue par la lumière augmente, de sorte que, si la longueur d'onde est très courte et si le rayonnement a beaucoup voyagé, on peut espérer les mettre en évidence. Par exemple, on peut songer à tirer parti des sursauts gamma provenant d'explosions cataclysmiques qui se produisent dans les profondeurs de l'univers : deux photons gamma (de très courte longueur d'onde par rapport à celles de la lumière visible) émis au même moment mais avec des énergies différentes devraient voyager à des vitesses légèrement différentes au sein de l'espace granulaire et, après quelques milliards d'années-lumière de trajet, nous parvenir à des instants bien distincts, suffisamment séparés pour être détectés séparément.
1. Voir Martin Bojowald, *L'Univers en rebond. Avant le Big Bang*, trad. de l'allemand par Jean-Paul Hermann, Paris, Albin Michel, coll. « Bibliothèque des sciences », 2010. Pour des informations plus spécialisées, voir également M. Bojowald, « What happened before the big bang ? », *Nature Physics*, vol. 3, n° 8, août 2007, p. 523-525.

sur lui-même, ce qui aurait entraîné une expansion très rapide de l'espace. Dès lors, il n'y a pas eu de singularité initiale et l'instant zéro n'a pas existé : l'univers était déjà bien en place[1]. Sur ce point, la conclusion à laquelle la théorie de la gravitation quantique à boucles aboutit ressemble étrangement, presque comme deux gouttes d'eau, à celle de la théorie des supercordes, bien que ses postulats soient radicalement différents...

Mais cette théorie pose elle aussi de redoutables problèmes techniques qui interdisent, jusqu'à preuve du contraire, de la considérer comme « la bonne » – elle n'est d'ailleurs pas du tout candidate à devenir une théorie du tout (elle ambitionne d'élaborer un cadre quantique permettant d'inclure la gravitation, et non pas d'être une théorie quantique des quatre interactions fondamentales...). Reste qu'il est étonnant de constater que lorsqu'on cherche à construire une théorie quantique de la gravitation qui s'appuie sur des principes très différents de ceux de la théorie des supercordes, on aboutit, *là encore*, au constat que la singularité initiale rencontrée dans les modèles de big bang est purement et simplement éliminée...

Mais regardons ce qui se passe du côté du vide quantique, que certains physiciens présentent comme la matrice de l'univers, ce qui n'est tout de même pas rien.

---

1. Les effets quantiques en vigueur pendant la phase de rebond auraient toutefois effacé presque toutes les traces de son passé.

Le vide quantique serait-il le berceau de l'univers ?

> *Rentre dans le néant dont je t'ai fait sortir.*
>
> Racine

On définit souvent le vide comme étant ce qui reste dans un volume après qu'on en a extrait tout ce qui est possible : le volume demeure, mais il n'y a plus rien à l'intérieur ; l'espace a en quelque sorte été lavé de toute matière, du moindre atome. Forts de cette définition, imaginons que nous puissions enlever de l'intérieur d'une enceinte toutes les particules de matière et de lumière qu'elle contient, sans la moindre exception, et atteindre ainsi le vide parfait. Se réduirait-elle à de l'espace pur ? À cette question, la physique quantique répond par la néga-tive : le vide n'est pas vide. Il contient de l'énergie[1], il est même gorgé de ce qu'on pourrait appeler de la matière « en état de veilleuse ». Demeureraient en effet, au sein de cette enceinte où nous aurions fait le vide avec la meil-leure des pompes à vide imaginable, des particules dites « virtuelles », c'est-à-dire des particules bel et bien pré-sentes mais qui n'existent pas réellement : elles ne pos-sèdent pas assez d'énergie pour pouvoir vraiment se

---

1. Cette énergie du vide constitue elle aussi un hiatus important entre la physique quantique et la relativité générale. En théorie quantique, l'énergie du vide peut être fixée à une valeur arbitraire puisqu'on ne mesure jamais que des différences d'énergie. En revanche, dans un contexte gravitationnel, cette valeur ne peut être arbitraire puisque toute forme d'énergie participe à la géométrie et à l'évolution de l'univers. Une valeur absolue de l'énergie est donc possible. Cette contradiction fondamentale entre les deux grandes théories de la physique n'a pas été résolue à ce jour.

matérialiser et, de ce fait, ne sont pas directement obser-
vables. Elles se trouvent, si l'on peut dire, en situation
d'hibernation ontologique. Pour exister, réellement exister, elles ne réclament qu'une chose : l'énergie qui manque
à leur existence pleine et entière[1]. Or le vide peut jouer le
rôle de banquier, mais c'est un banquier du genre impa-
tient : il leur prête cette énergie à la condition impérative
que les particules virtuelles qui ont bénéficié de ses avances
sonnantes et trébuchantes lui restituent très rapidement
l'emprunt. En vertu de cet étrange contrat, les particules
virtuelles peuvent surgir du vide, par paires[2], avec l'obli-
gation d'y retourner presque aussitôt pour s'annihiler.

Ce phénomène illustre ce que la physique quantique
peut avoir de bizarre et de contre-intuitif. Mais pour mieux
comprendre ce vide quantique, revenons sur quelques
notions de base, notamment celle d'état physique.

Un système physique, par exemple une particule, se
définit par un certain nombre de caractéristiques identiques pour tous les systèmes du même type. Ainsi, tous
les électrons ont rigoureusement la même masse et la
même charge électrique, où qu'ils se trouvent et quel
que soit leur environnement. En plus de ces caractéristiques universelles, ils se voient attribuer des quantités
qui, elles, peuvent varier de l'un à l'autre : la position
ou la vitesse par exemple. L'ensemble de ces quantités
forme ce qu'on appelle « l'état » de la particule. En physique quantique, on le représente par ce qu'on appelle

---

1. Si la masse de la particule est égale à m, l'énergie qui lui manque
est égale à mc^2. On l'appelle son « énergie de masse ».
2. Toute particule qui émerge du vide le fait en compagnie de sa
sœur jumelle, plus exactement de son antiparticule, de même
masse qu'elle et de charge électrique opposée.

un « champ quantique », qui est une fonction de l'espace et du temps.

Dans ce cadre, point capital, il n'existe pas de différence fondamentale entre un état contenant de la matière et un état n'en contenant pas. Cela tient au fait que les objets fondamentaux de la physique quantique ne sont ni des corpuscules ni des ondes comme en physique classique, mais précisément les « champs quantiques » que nous venons d'évoquer, qui ont la propriété de s'étendre dans tout l'espace. Surtout, ils ne peuvent s'annuler partout en même temps : à un instant donné, un champ quantique n'est jamais égal à zéro dans tout l'espace. Tout se passe en somme comme si champs quantiques et espace adhéraient les uns à l'autre, d'une façon impossible à défaire.

Ainsi, au lieu de parler, par exemple, d'électrons proprement dits, la théorie quantique parle plutôt de champ électronique. Et ce champ électronique a la propriété, disent les équations de la physique quantique, d'être « toujours là », même quand aucun électron n'est présent en chair et en os : il est absolument impossible de le faire disparaître et l'énergie qu'il contient est tout aussi impossible à extraire. Dès lors, le vide ne peut plus être considéré comme ce qui reste lorsqu'on a enlevé le champ (puisque cette opération est impossible), mais comme un état particulier du champ. Cet état est dit « fondamental » car le système ne peut pas avoir une énergie moindre que celle qu'il possède lorsqu'il s'y trouve.

S'il n'y a plus de distinction formelle entre le vide et les autres états, il devient impossible de lui donner un statut réellement à part : il n'est plus un espace pur, encore moins un néant où rien ne se passe, mais un océan rempli de particules virtuelles capables, dans certaines circonstances, d'accéder à l'existence. Le vide apparaît ainsi comme l'état de base de la matière, celui qui contient sa potentialité d'existence et dont elle émerge sans jamais couper son cordon ombilical. La matière et le vide quantique sont de fait liés de façon insécable.

Mais si le vide quantique contient *en puissance* toute la matière, s'il est rempli de particules susceptibles de devenir réelles, qu'est-ce qui interdit d'imaginer qu'il a pu spontanément engendrer l'univers ? L'idée est séduisante, mais elle n'est pas défendable, car elle suppose l'apport d'une énergie extérieure. Or, par définition, l'univers n'a pas d'extériorité…

Pourtant, un certain nombre de physiciens, à commencer par Edgard Gunzig[1], ont déjoué cette impossibilité en élaborant des scénarios dans lesquels le vide quantique joue effectivement le rôle de matrice de l'univers et la gravitation celui de forceps apportant l'énergie… Leur travail a consisté à réaliser une sorte de greffe de la relativité générale sur la physique quantique : ils décrivent d'abord le contenu matériel de l'univers en utilisant le formalisme de la physique quantique, puis supposent que les particules qui constituent ce contenu matériel subissent la force de gravitation. Que constatent-ils alors ?

Le vide quantique, disions-nous, contient des particules virtuelles. Sous l'effet d'une expansion de l'espace extrêmement rapide (appelée une inflation), comme cela pourrait avoir été le cas dans la phase primordiale de l'univers,

---

1. Edgard Gunzig, *Que faisiez-vous avant le big bang ?*, Paris, Odile Jacob, 2008.

ces particules gagnent de l'énergie, ce qui leur permet de se matérialiser, donc de devenir réelles. L'expansion de l'univers joue donc là le rôle de réservoir d'énergie interne : elle permet au vide quantique de créer de la matière, de la vraie matière, qui jaillit hors de lui. L'univers apparaît dès lors comme un système très particulier : il n'a pas d'extériorité et c'est sa propre expansion qui lui apporte de l'énergie, comme si celle-ci venait de l'extérieur...

Que se passe-t-il ensuite ? Au cours de l'expansion de l'univers, l'énergie du vide demeure constante puisqu'elle ne peut pas diminuer (c'est l'énergie minimale que l'univers peut avoir), tandis que celle du contenu matériel décroît progressivement du fait de l'expansion qui le dilue toujours plus. Et ce qui doit arriver arrive : à partir d'un certain moment, l'énergie qui domine au sein de l'univers devient celle du vide. L'expansion se poursuivant, l'état de l'univers finit même par ne plus se distinguer notablement du vide quantique, c'est-à-dire de son état initial. Il peut alors profiter d'une autre fluctuation de ce vide quantique pour entamer une nouvelle aventure cosmologique analogue à celle qui l'a précédée : il se réplique ainsi, inlassablement, sans jamais traverser de singularité. Grâce à la gravitation, il passe du vide quantique instable à un univers en expansion et empli de matière, selon un processus énergétiquement gratuit qui s'autoentretient.

Rien ne permet de dire que ce modèle soit le meilleur, ni même qu'il soit pertinent[1], mais il a ceci

---

1. La greffe qu'il propose entre relativité générale et physique quantique ne résout pas le problème de l'incompatibilité de l'espace-temps de la première avec celui de la seconde.

d'intellectuellement stimulant qu'il fait apparaître l'univers comme étant sa propre cause : celui-ci s'auto-engendre en quelque sorte, résultant d'un état antérieur similaire à lui-même. Dans cette optique, l'histoire cosmologique devient l'aventure temporelle-ment infinie d'un univers qui se réplique inlassable-ment, se renouvelle périodiquement en réémergeant de lui-même. Le nôtre, dont on a pris l'habitude de dire qu'il est aujourd'hui âgé de 13,7 milliards d'an-nées, ne serait en réalité qu'un maillon particulier de cette chaîne infinie. Un élément parmi d'autres d'un vaste patchwork d'« univers bulles » surgissant de l'excitation par la gravitation des fluctuations du vide quantique[1].

Ce scénario fait lui aussi l'économie du big bang, au sens où il met en scène un univers particulier – le vide quantique – qui préexistait à la fameuse explosion. Ce déjà là constituerait une sorte d'être premier dont tous les autres tireraient leur existence. L'univers lui-même ne serait qu'une effectuation événementielle de cet être existant « de toute éternité ».

Est-ce à dire que, à chaque fois qu'on tente de faire vivre ensemble la physique quantique et la théorie de la relativité générale, l'idée d'origine de l'univers s'éva-pore ? Avant de répondre à cette question, il reste à envisager l'hypothèse, de plus en plus discutée, selon laquelle notre univers ne serait pas seul au monde...

---

1. Comme nous le verrons plus loin, Andrei Linde a suggéré que des scénarios de type inflationnaire pourraient se produire sans cesse au sein du vide quantique, créant chaque fois un nouvel uni-vers indépendant des autres.

Le « multivers » :
notre univers serait-il un cas parmi tant d'autres ?

> *Dans une autre vie, j'aurais pu être toi, disait-elle.*
> *Ouais, mais dans une autre vie, j'aurais été*
> *quelqu'un d'autre.*
> *Ah, tu as raison. Il va falloir débrouiller ça.*
>
>   Bob Dylan

Jusqu'à maintenant, nous avons parlé de l'univers au singulier, admettant par là qu'il ne pouvait être qu'unique, « seul au monde » si l'on peut dire. Pourtant, la question de l'unicité de l'univers se trouve désormais posée par la structure même de certaines théories physiques qui tentent de franchir le mur de Planck. Mais s'il y avait vraiment une multiplicité d'univers, comme le pensent certains cosmologistes, que deviendrait l'idée même d'origine de *l'*univers ? Ne se disperserait-elle pas en une myriade de répliques ? Y aurait-il une origine plus « originelle » que les autres ?

L'hypothèse selon laquelle notre univers ne serait qu'un élément particulier d'un « multivers » vient de loin. Tout a commencé par un constat observationnel : l'univers où nous nous trouvons a deux caractéristiques aux allures d'énigmes.

D'abord, il est homogène à grande échelle : quand on analyse le fond diffus cosmologique, on se rend compte que sa température est partout la même, dans toutes les directions. Pour que la température d'un milieu devienne uniforme, toutes les parties de ce milieu doivent avoir eu le temps d'interagir les unes avec les

autres, de sorte que l'énergie ait pu se répartir équitable-
ment (chacun sait qu'un verre d'eau placé dans une
pièce met un certain temps pour atteindre la température ambiante). Or les calculs montrent que la période
qui a séparé le big bang de la libération du fond diffus
cosmologique, longue de 380 000 ans, est trop courte
pour que toutes les régions de l'univers aient eu le temps
d'interagir compte tenu du fait que la vitesse de la
lumière ne peut pas être dépassée. Dès lors, comment
ce rayonnement a-t-il pu devenir homogène ? On pourrait bien sûr postuler qu'il avait cette propriété dès le
départ, mais un postulat ne saurait constituer une véritable explication. L'homogénéité de l'univers a bien un
parfum d'énigme.

Ensuite, à l'examen, l'univers se révèle plat comme
une limande. *A priori*, sa courbure pouvait être positive,
négative, ou exactement nulle. Or il se trouve que c'est
cette dernière situation, la plus singulière qui soit, qui a
été constatée par différentes mesures : dans l'univers,
deux parallèles ne se rencontrent jamais, ce qui signifie
que la métrique est globalement euclidienne. Quelle
étrange coïncidence… ? On sait que la courbure spatiale
de l'univers est déterminée par la densité de matière et
d'énergie qu'il contient. Mais alors, comment se fait-il
que sa densité moyenne soit exactement celle qui correspond à une courbure globalement nulle de la géométrie
de l'univers[1] ? Pourquoi vaut-elle zéro plutôt que

---

1. Cette densité est qualifiée de « critique ». Elle correspond à la
densité d'énergie que doit avoir un univers homogène, isotrope et
en expansion pour que sa courbure spatiale soit nulle. La densité
critique sépare donc, à taux d'expansion fixé, les modèles dits « fermés » (en fait à courbure spatiale positive) des modèles dit

n'importe quelle autre valeur ? C'est ce qu'on appelle l'énigme de la platitude de l'univers.

Une hypothèse cosmologique développée en 1981, indépendamment par Alan Guth et Alexei Starobinsky, permet de résoudre ces deux problèmes[1]. Selon eux, l'univers primo-primordial, dont la densité était extrêmement élevée, aurait connu une gigantesque « inflation », c'est-à-dire une phase d'expansion furieusement accélérée : les distances auraient été multipliées par un facteur énorme, de l'ordre de 10^{50}, en un temps très court, de l'ordre de 10^{-32} seconde ! Ce n'est pas exactement ce qu'on appelle un train de sénateur... Pour se rendre compte de la fulgurance de ce processus, du gigantisme de ce taux de croissance, il suffit de rappeler la donnée suivante : pendant les dix derniers milliards d'années de l'univers, les distances en son sein n'ont été multipliées que par un facteur 10^4 (soit seulement 10 000). C'est dire si, après des débuts hypertonitruants, l'expansion de l'univers s'est franchement calmée.

« ouverts » (en fait à courbure spatiale négative). Un univers dont la densité est égale à la densité critique possède une courbure spatiale nulle, c'est-à-dire que les règles de la géométrie euclidienne usuelle y sont valables à grande échelle. Cette densité critique correspond à environ six atomes par mètre cube (10^{-26} kg/m³). Si l'univers a une densité moyenne précisément égale à cette valeur, la vitesse des éléments en expansion diminuera progressivement et tendra vers zéro.

1. À l'origine, l'idée d'Alan Guth était de résoudre un problème posé par certaines théories d'unification des interactions fondamentales : celles-ci impliquaient l'existence de monopôles magnétiques qui n'ont jamais pu être observés. Il s'agissait de trouver un mécanisme par lequel on pouvait expliquer leur discrétion au sein de notre univers.

Comment cette inflation permet-elle d'expliquer l'homogénéité et la platitude de l'univers ? Avant que ce mécanisme ne s'enclenche, la portion d'univers correspondant à celle actuellement visible était extraordinairement petite, environ 10^{54} fois plus petite que l'univers aujourd'hui, soit beaucoup plus petite qu'un noyau d'atome. La lumière n'a donc eu aucun problème pour traverser cette portion, même avec seulement 10^{-32} seconde à sa disposition. En conséquence, toutes les parties de l'univers aujourd'hui observable étaient causalement liées les unes aux autres avant l'inflation. C'est ainsi que l'information sur la température a pu être échangée et que l'équilibre thermique a été atteint. Par la suite, la taille de l'univers s'est démultipliée du fait de l'inflation, avec pour résultat final un rayonnement homogène dans des régions qui nous semblent aujourd'hui indépendantes.

Quant à la platitude de l'univers, l'inflation l'explique par un simple effet de perspective : l'univers s'étant considérablement agrandi en une fraction de seconde, sa courbure paraît moins importante, de la même façon que la surface d'un ballon gonflé apparaît presque plate si on la regarde sur une toute petite portion.

Bref, les cosmologistes n'ont plus à postuler une homogénéité et une platitude quasi parfaites au tout début de l'univers. Les choses se seraient faites naturellement : quelles qu'aient été ses caractéristiques au départ, l'univers visible (qui n'est qu'une infime portion de l'univers) serait devenu plat et homogène sous l'effet de l'inflation.

L'hypothèse de l'inflation a beau être très spéculative (elle attend toujours une confirmation expérimentale ou observationnelle[1]) et controversée, elle s'est peu à peu imposée au sein du paradigme cosmologique, où elle se décline sous de multiples variantes dont certaines donnent le vertige. Qu'on en juge…

Dès le milieu des années 1980, deux cosmologistes, Andrei Linde et Alex Vilenkin, ont montré que si le processus inflationnaire a bel et bien eu lieu, il pourrait être responsable d'une création permanente d'univers. Selon ce scénario, dit de « l'inflation éternelle », une multitude de régions de l'espace connaîtraient toujours une telle phase d'expansion accélérée, donnant sans cesse naissance à de nouveaux univers bulles. Chaque univers bulle ainsi créé serait différent des autres : les masses des particules élémentaires, l'intensité des interactions, le taux d'expansion auraient des valeurs chaque fois nouvelles, de sorte que tous les possibles en termes de paramètres physiques pourraient se réaliser. Certains univers ont déjà été créés, d'autres sont en train de l'être, d'autres encore le seront un jour. En clair, selon ce modèle ultra-proliférant, tout ce qui est possible en matière d'univers serait réel et effectif quelque part.

Mais le plus étonnant n'est pas là. Lorsque l'hypothèse de cette inflation éternelle est insérée dans le cadre

---

1. Certains modèles d'inflation prévoient que les tremblements furieusement quantiques de l'espace-temps que l'inflation a provoqués ont dû engendrer des ondes gravitationnelles capables de donner une polarisation aux photons du fond diffus cosmologique. Plusieurs expériences tentent actuellement de mesurer cette polarisation. Si elles parvenaient à le faire et si la valeur mesurée était égale à celle prédite par les modèles, cela établirait la preuve que l'inflation s'est bel et bien produite dans un passé très lointain de l'univers.

de la théorie des supercordes, c'est un multivers d'une diversité fascinante qui se dessine. Les physiciens ont en effet pris conscience qu'il existe un nombre immense de versions différentes de cette théorie[1], chacune décrivant un univers particulier, ayant un jeu de constantes fondamentales bien à lui. Si toutes ces possibilités théoriques s'actualisent, il nous faut imaginer un univers gigogne, un « multivers » se développant par inflation éternelle et composé d'un très grand nombre d'univers bulles présentant chacun ses propres lois physiques et contenant chacun une infinité d'univers. La théorie des supercordes ne décrirait pas notre univers, mais le multivers, c'est-à-dire tous les univers possiblement engendrés par le processus inflationnaire.

S'agit-il d'une nouvelle fable ? d'un délire de théoriciens ? d'un supplétif provisoire ? d'une authentique révolution scientifique ? Personne ne peut répondre à ces questions et l'hypothèse des multivers fait débat : certains la considèrent comme incontournable, d'autres la jugent épistémologiquement dangereuse car exagérément métaphysique, et en concluent qu'il faut s'acharner à chercher une théorie capable de décrire l'univers dans lequel nous vivons et non un ou plusieurs autres.

Toutefois, ces univers « pensés » ne sortent pas d'un chapeau de magicien. De la même façon que les « expériences de pensée » aident à mieux comprendre les implications conceptuelles d'une théorie physique donnée, ils permettent de mieux saisir les fondements des

---

1. Peut-être 10^{500} ou 10^{1000}... Ces nombres gigantesques proviennent notamment des différents choix de variétés de Calabi-Yau associées au repliement des dimensions supplémentaires d'espace-temps.

modèles cosmologiques que nous utilisons pour décrire notre univers, notamment le rôle déterminant que semblent jouer les constantes universelles. Il apparaît en effet que si ces dernières avaient été différentes de ce qu'elles sont, la vie telle que nous la connaissons dans notre univers n'aurait pu émerger.

Une illustration suffira. Elle concerne l'interaction nucléaire forte, liant les nucléons (protons et neutrons) entre eux au sein des noyaux atomiques. Il suffirait qu'elle soit légèrement plus intense (d'environ un pour cent) pour que les étoiles ne vivent pas plus de quelques secondes, au lieu des quelques milliards d'années que nous observons. L'intensité de cette interaction se trouve donc avoir la valeur qui convient pour que la vie soit possible dans certains endroits de l'univers. De semblables conclusions s'obtiennent lorsque l'on s'amuse à faire varier, pour voir, la valeur d'autres constantes du monde physique[1].

Un certain nombre de physiciens, notant ces multiples coïncidences, en tirent la conclusion que notre univers est bien plus complexe que la plupart des autres qui posséderaient les mêmes lois physiques que lui, mais

---

1. Un second exemple pour ceux qui ne seraient pas convaincus. Il concerne la masse du neutron, dont on sait qu'elle est très légèrement supérieure à celle du proton. Si la différence entre leurs masses avait été très légèrement plus grande, tous les neutrons se seraient transformés en protons. Or, sans neutron, les atomes autres que l'hydrogène ne peuvent plus se former et sans atomes de carbone, pas de vie. Si, au contraire, la masse du neutron avait été très légèrement inférieure, c'est l'inverse qui se serait produit : les protons se seraient tous transformés en neutrons. Or, sans protons, pas d'atomes (pas même d'hydrogène) et, par conséquent, pas de vie.

avec des constantes fondamentales ayant des valeurs différentes. Selon eux, les conditions nécessaires pour la vie
n'ont été rendues possibles que par un ajustement fin
des paramètres physiques.

Mais y a-t-il eu ajustement ? ou heureux hasard ?
Certains cosmologistes voient dans ces coïncidences
favorables un indice de l'existence d'une pluralité d'univers ayant des paramètres physiques aux valeurs différentes : les dés auraient été jetés un très grand nombre
de fois, de sorte que tous les univers possibles seraient
réalisés quelque part et que nous aurions eu la chance
de tomber dans un univers localement vivable et plutôt
hospitalier, du moins en certains lieux. D'autres, jugeant
l'hypothèse déraisonnable et trop spéculative, préfèrent
voir en amont de cet ajustement la main d'un être transcendant, ou d'un démiurge, qui aurait fixé la valeur
précise des paramètres de l'univers pour que l'homme
puisse ou doive y apparaître (on parle de « principe
anthropique ») : Dieu, un sacré bricoleur[1] ! D'autres
encore considèrent que ces questions n'ont pas à être
posées : les choses sont ce qu'elles sont et nous n'avons
pas à justifier leur pourquoi. Enfin, les plus prudents
jugent que toutes les réponses qu'on peut leur apporter
sont prématurées, voire vaines, car nous ne savons pas
encore à partir de quelle théorie nous pourrions les discuter.

---

1. Un tel dieu ajusteur de constantes universelles ne serait d'ailleurs qu'un demi-dieu, privé d'une bonne part de son prestige et
de sa gloire. Il faut l'imaginer demandant à l'un de ses assistants :
« Hé ! Paulo, repasse-moi le tournevis, tu veux bien ? Les étoiles
déconnent sacrément. Faudrait que j'augmente d'un chouia la
vitesse de la lumière »...

Comme on le voit, la cosmologie contemporaine offre un paysage éclaté, difficile à interpréter, dans lequel la question de l'origine se démultiplie à l'infini, se perd même. Finalement, dans ce nouveau contexte, où l'origine se niche-t-elle ? Si des univers ne cessent de naître tandis que d'autres agonisent ou disparaissent, l'origine n'est plus un événement mais une routine sempiternelle. Tout le contraire d'un moment crucial.

Mais où est donc passée l'origine ?

> *Nous n'avons plus de commencement.*
> George Steiner

Plusieurs pistes sont vigoureusement explorées pour tenter de remonter plus loin dans le passé de l'univers, pour se rapprocher de son hypothétique origine. Ce ne sont certes que des conjectures, des modèles approximatifs, mais toutes ont la propriété de faire disparaître la singularité initiale – selon elles, plus d'instant zéro ! Tout se passe comme si le mariage de la physique quantique et de la relativité générale qu'elles tentent de célébrer devait aboutir à *l'abolition de la création de l'univers*, si l'on peut dire.

Dans tous les cas, les calculs font en effet apparaître un monde qui aurait préexisté à notre univers : le vide quantique avec ses fluctuations vibrionnantes donnant naissance à un, dix, cent, mille, une infinité d'univers, ou une « brane » flottant (pas toujours tranquillement) dans un espace-temps à dix dimensions voire davantage, ou encore un univers en contraction rebondissant sur lui-même lorsque sa densité atteint une valeur indépassable, et toutes sortes d'autres choses plus ou moins exotiques.

Deux constats s'imposent. Le premier est que ce qui a préexisté à notre univers n'est jamais rien : selon ces modèles, il y a toujours eu de l'être, jamais de néant. Exit, donc, l'idée d'une création *ex nihilo*, d'un *fiat lux*. Le second, que ces choses sont toutes immanentes : elles font partie de l'univers et ne correspondent donc pas à des causes premières, extérieures à lui, qui auraient enclenché son apparition d'un simple claquement de doigts (compte tenu de leur définition, les causes premières ont sûrement le bras long et certainement aussi des doigts).

La seule chose qui les distingue des autres éléments constitutifs de l'univers, c'est qu'elles sont censées avoir engendré tout ce qui existe *en plus* d'elles, mais sans qu'on puisse dire quelle origine elles-mêmes peuvent avoir. D'où vient le vide quantique ? Nul ne le sait. Les branes ? Personne ne peut le dire. Et d'où provenait l'univers d'avant le big bang ? Mystère.

En conséquence, à l'heure qu'il est, la question de savoir si l'univers a eu ou non une origine digne de ce nom demeure ouverte : personne n'est en mesure de démontrer scientifiquement qu'il a eu une origine « originelle », et personne n'est non plus capable de démontrer scientifiquement qu'il n'en a pas eu.

L'alternative est donc d'une simplicité biblique. Soit l'univers a eu une origine, que la science n'a pour le moment pas saisie : dans ce cas, il a été précédé par le néant, par une absence totale d'être. Soit l'univers n'a pas eu d'origine : dans ce cas, il y a toujours eu de l'être, jamais de néant ; dès lors, à l'évidence, la question de l'origine de l'univers ne se pose plus, elle n'était qu'un problème mal posé, mais elle se trouve remplacée par une autre question, celle de l'être : pourquoi l'être plutôt que rien[1] ?

Savoir que l'univers a 13,7 milliards d'années est certes un authentique exploit dont il faut saluer l'immense valeur et l'extraordinaire portée, mais cela ne suffit pas à dire d'où vient l'univers, ni même qu'il a eu un commencement. Au demeurant, ce prétendu « âge de l'univers » ne court pas depuis son éventuelle création, mais seulement depuis la plus ancienne étape à laquelle les équations des cosmologistes ont un accès sûr. L'univers pourrait donc être beaucoup plus vieux que l'âge qu'on lui attribue, voire ne pas avoir d'âge du tout. En ce sens, la question de savoir si l'univers est éternel ou non continue de se poser.

Ne concluons donc pas de façon trop tranchée, d'autant que la cosmologie est peut-être au bord d'une révolution susceptible de complètement changer la donne. Deux problèmes sont apparus récemment – la « matière noire » et l'« énergie noire » – dont nul ne saurait prédire sur quels bouleversements conceptuels ils

---

1. *Être ou ne pas être, voilà la question ?* est la très métaphysique anagramme de *Oui, et la poser n'est que vanité orale*. À la question de l'être, il n'est sans doute pas d'autre réponse que l'être même : « Pourquoi l'être ? Parce que l'être », comme le résume André Comte-Sponville, qui ajoute : « Que cette réponse n'en soit pas une, cela est bien clair. C'est pourquoi la question continue de se poser. » (« La question de l'être », in *Le goût de vivre et cent autres propos*, Paris, Albin-Michel, 2000, p. 212).

pourraient déboucher. Ils concernent l'un comme l'autre l'inventaire du contenu matériel et énergétique de l'univers : on vient de découvrir qu'une grande partie en était de nature parfaitement inconnue ! Or, selon la théorie de la relativité générale, c'est le contenu de l'univers qui détermine son évolution, celle qu'il aura dans le futur, mais aussi celle qu'il a eue dans le passé, y compris dans son passé le plus lointain...

5

La cosmologie a encore du noir à broyer

Vous pouvez choisir la couleur que vous voulez, à condition que ce soit le noir.
Henry Ford (à propos de la Ford T)

De nouveaux savoirs peuvent accroître l'ignorance : grâce à une découverte, on comprend qu'on ne savait pas qu'on ne savait pas et, d'un coup, les perspectives changent, l'horizon se reconfigure.

Ainsi, à la fin des années 1920, l'idée selon laquelle l'électron et le proton suffisaient à rendre compte de la totalité de la matière était acceptée par presque tous les physiciens de premier plan, Einstein en tête. Mais les années qui suivirent ne cessèrent de leur donner tort : de nouvelles particules, à commencer par le neutron, le positron (l'antiparticule de l'électron), le muon[1] et le pion[2], furent détectées les unes après les autres, quasiment à une cadence d'essuie-glace.

---

1. Le muon est une sorte d'électron lourd, deux cents fois plus massif que lui.
2. Le pion est une particule sensible à l'interaction nucléaire forte que les protons et les neutrons s'échangent au sein d'un noyau atomique. Il fut découvert dans le rayonnement cosmique.

Aujourd'hui, alors même que plusieurs centaines de particules ont été découvertes grâce aux accélérateurs et aux collisionneurs de particules[1], les physiciens viennent de comprendre qu'ils ignorent la nature des éléments principaux du mobilier ontologique de l'univers : des observations astrophysiques destinées à déterminer la densité moyenne de l'univers ont permis d'établir que la matière telle qu'ils la connaissent ne constitue qu'une part très faible de son contenu, et que tout le reste leur échappe. Nul ne peut prétendre qu'il s'agit là d'un problème marginal ou anecdotique, à écarter d'un revers de main.

Tout d'abord, en cosmologie, contenu et contenant ont partie liée. Selon la théorie de la relativité générale, ils adhèrent même l'un à l'autre. Dès lors que le contenu de l'univers joua un rôle crucial dans la dynamique de son évolution, la question de sa nature rejaillit par ricochet causal sur celle de son origine.

Ensuite, ces problèmes de matière noire et d'énergie noire conduisent certains physiciens à douter de la validité des lois physiques qui sont utilisées pour décrire l'univers à grande échelle. Or, si les lois générales de la cosmologie

---

1. Lors d'un choc entre deux particules de haute énergie, presque toute leur énergie cinétique est convertie en matière en vertu de la formule $E = mc^2$: cette matière se transforme en particules massives, à durée de vie généralement très courte, qui semblent surgir du point de collision. La plupart des particules aujourd'hui connues ont été découvertes de cette façon. Les particules incidentes offrent en somme leur énergie au vide quantique, au sein duquel se trouvent des particules virtuelles qui sont comme endormies. C'est en recevant de l'énergie que ces particules virtuelles retrouvent la vitalité qu'elles avaient dans l'univers primordial ; elles deviennent réelles et s'échappent. Un grand collisionneur de particules n'est jamais qu'une machine servant à chauffer le vide quantique…

étaient amenées à changer, nos discours sur l'origine de l'univers en seraient à coup sûr affectés.

Comment faire la lumière sur la matière noire ?

> *Au fond de la matière pousse une végétation obscure. Dans la nuit de la matière fleurissent des fleurs noires. Elles ont déjà leur velours et la formule de leur parfum.*
>
> Gaston Bachelard

Depuis plusieurs décennies, l'observation de plus en plus minutieuse des galaxies sème le trouble. La seule façon de comprendre les valeurs des vitesses de déplacement des étoiles au sein d'une galaxie, si l'on fait l'hypothèse que les lois de la gravitation sont bien celles que nous connaissons, est de supposer que la partie visible des galaxies est enveloppée par une masse énorme de matière invisible, la matière « noire ».

Tout récemment, d'autres phénomènes sont venus renforcer le crédit qu'il faut accorder à cette interprétation. On sait, par exemple, que la lumière est déviée par des masses élevées. Or, pour nous parvenir, la lumière issue de certaines galaxies lointaines a dû passer à proximité d'un amas de galaxies. Sa trajectoire a donc été distordue en cours de route, comme si elle était passée au travers d'un système optique. La galaxie nous apparaît dès lors non plus comme un point brillant, mais comme un arc lumineux (on parle de « mirages gravitationnels »). De la forme et des dimensions de ces arcs

on peut déduire la masse de l'amas de galaxies responsable de cette déformation. Et le résultat obtenu est sans
ambiguïté : la masse de l'amas ainsi mesurée est dix fois
supérieure à sa masse apparente, c'est-à-dire à la masse
que révèlent les étoiles visibles qu'il contient. Il y a donc
bien de la masse invisible, une matière qui agit gravita-
tionnellement mais n'émet pas de lumière.

Certes, cette matière est noire au sens où elle demeure
mystérieuse, où son statut est obscur, mais elle n'est nullement noire au sens physique du terme. Il s'agit plutôt
d'une matière qui n'émet ni n'absorbe de lumière, qui
est même parfaitement transparente à celle-ci. En
somme, sa présence est perçue par la gravitation, mais
pas par la force électromagnétique.

De quoi cette matière noire, qui imprime sa marque
sur la dynamique de l'univers, est-elle faite ? Se pourrait-il
qu'elle soit constituée de particules que nous connaissons déjà, par exemple de neutrinos (qui sont de loin les
plus abondants dans l'univers) ? Dans un premier temps,
de nombreux physiciens l'ont pensé, mais cette hypothèse est aujourd'hui de moins en moins probable.
S'agit-il alors d'une matière composée de particules
radicalement nouvelles ? Sans doute. Lesquelles ? Certaines théories, telle la supersymétrie, prédisent l'existence d'une particule appelée le neutralino, dont les
caractéristiques font un candidat privilégié pour être le
constituant de la matière noire[1]. Reste toutefois à

---

1. Proposée dans les années 1970, la supersymétrie permet de
« desserrer » le modèle standard de la physique des particules et lui
donne un jeu suffisant pour, peut-être, commencer à le rendre
compatible avec la gravitation. Elle était à l'origine une structure
mathématique qui associait des particules ayant des spins

démontrer que cette particule existe bel et bien. Grâce aux hautes énergies qu'il est capable d'atteindre, qui permettent de produire des particules plus massives que toutes celles déjà identifiées, le LHC devrait pouvoir apporter la preuve de son existence…

Mais il se pourrait aussi que la matière noire n'existe pas, qu'elle constitue en définitive un faux problème ! Car, en réalité, le désaccord que nous avons évoqué entre le mouvement observé des galaxies et ce qu'indiquent les calculs nous met en présence d'une alternative, dont le deuxième terme est souvent négligé :

— ou on accepte de compléter le mobilier ontologique de l'univers au nom de l'universalité des lois physiques bien établies par ailleurs (en l'occurrence celles de la gravitation). Dans ce cas, il faut considérer que la matière noire existe bel et bien et il ne reste plus qu'à identifier sa nature ;

---

différents. Plus précisément, elle mettait en correspondance les bosons, de spins entiers, aux fermions, de spins demi-entiers, et ce alors même que leurs comportements statistiques sont par essence très différents. Mais on découvrit vite que les choses ne pouvaient pas être aussi simples. On a donc imaginé par la suite que chaque particule connue a sa propre image par la supersymétrie, mais que celle-ci nous serait inconnue. La supersymétrie impliquerait en somme l'existence, pour toutes les particules connues, d'hypothétiques superpartenaires, aussi appelées « sparticules », dont les spins diffèrent de ceux des particules ordinaires d'une demi-unité : le photon serait ainsi associé au « photino », l'électron au « sélectron », les quarks aux « squarks », et ainsi de suite. Cette opération a évidemment pour effet immédiat de doubler l'effectif total des particules élémentaires.

La plupart des sparticules doivent se désintégrer au bout d'un temps extrêmement court. Seule la plus légère doit rester stable : on l'appelle le « neutralino ».

— ou on remet en cause cette universalité pour éviter d'avoir à peupler l'univers d'objets inconnus, de mystérieux fantômes. Dans ce cas, il faut corriger les lois de la gravitation pour rendre compte de la dynamique des galaxies sans qu'il soit nécessaire de postuler l'existence d'une matière noire[1].

Laquelle de ces deux voies faut-il choisir ? Pour l'instant, l'important est de ne pas choisir, car nul ne sait si le problème de la matière noire constitue, pour la physique, une *crise législative* (de l'exactitude ou de l'universalité des lois) ou une *crise ontologique* (de la complétude de son mobilier actuel). Mais dans un cas comme dans l'autre, son corpus théorique ne devrait pas en sortir tout à fait indemne.

Qui appuie sur la pédale d'accélérateur de l'expansion ?

L'énergie noire, il faudrait la repeindre en rose.
Jacques Réda

La mise en service de nouveaux moyens de détection a permis de recueillir ces dernières années de très nombreuses données en provenance de l'univers. Les astrophysiciens sont parvenus à analyser la lumière émise par

1. Dans les années 1980, le physicien Mordehai Milgrom a proposé de modifier la loi de Newton de la gravitation pour expliquer les courbes de rotation de galaxies sans avoir besoin d'introduire de la matière noire. On parle de « théorie MOND » (pour *Modified Newtonian Dynamics*).

certaines étoiles lointaines en cours d'explosion, qu'on appelle supernovae. Et ce qu'ils ont découvert n'a pas manqué de les étonner.

Les supernovae lointaines qu'ils ont observées correspondent à des explosions d'une extraordinaire brillance. Elles sont constituées d'une petite étoile très dense, appelée naine blanche, accouplée à une étoile compagnon plus massive. Les naines blanches ont une masse à peu près égale à celle du Soleil, mais concentrée dans un volume égal à celui de la Terre, de sorte que leur champ gravitationnel est très intense. D'où leur terrible voracité : elles arrachent puis absorbent la matière de leur compagne. Cette orgie augmente leur masse et leur densité, jusqu'à provoquer une explosion nucléaire gigantesque. Explosion rendue visible par l'émission d'une lumière très intense qui persiste pendant plusieurs jours. L'objet brille alors autant qu'un milliard de soleils.

L'intérêt cosmologique de tels événements vient de ce qu'ils servent d'étalons lumineux. Ils constituent des « bougies standard » permettant d'arpenter l'univers à grande échelle. Cette vertu vient de ce que leurs « courbes de lumière » se ressemblent étroitement, avec d'abord un pic de brillance qui dure quelques semaines, suivi d'un affaiblissement plus lent. Toute différence observée entre deux courbes de lumière ne peut donc venir que de la distance : plus la supernova est éloignée, plus la lumière que nous recevons d'elle est faible. En mesurant l'intensité de cette lumière, on peut donc calculer la distance de l'étoile qui l'a émise, de la même façon qu'on peut évaluer la distance d'une voiture en comparant la luminosité apparente de ses phares à leur luminosité intrinsèque.

Les résultats obtenus ont montré que ces supernovae sont plus éloignées que ce que prévoyaient les modèles cosmologiques « classiques » ! Ils ont permis de démontrer que l'expansion de l'univers, contrairement à ce qu'on avait imaginé jusque-là, est *en phase d'accélération* depuis plusieurs milliards d'années. Qu'est-ce à dire ? Dans le processus d'expansion, la gravitation, toujours attractive, fait office de frein : elle tend à rapprocher les objets massifs les uns des autres, de sorte que la matière ne peut que ralentir l'expansion. Mais ce que semblent montrer les mesures dont nous parlons, c'est qu'un autre processus s'oppose à elle en jouant au contraire un rôle d'accélérateur. Tout se passe comme si une sorte d'antigravité avait pris la direction des affaires, obligeant l'univers à augmenter sans cesse la vitesse de son expansion.

Quel est le moteur de cette accélération ? Personne ne peut répondre. Prudents, les physiciens parlent d'une mystérieuse « énergie noire » : noire parce qu'on ne la voit pas ; noire aussi parce qu'on en ignore la nature. Une énergie dont la contribution à la masse de l'univers croîtrait avec l'expansion, car elle occupe le moindre recoin de son espace.

Les plus courageux avancent quand même quelques hypothèses sur sa nature. L'énergie noire pourrait être la « constante cosmologique », dont elle a la saveur, la couleur et l'odeur, sans qu'on puisse toutefois certifier que la première se confond avec la seconde. Ce paramètre, introduit par Einstein en 1917, correspond, nous l'avons vu, à une sorte de répulsion de l'espace vis-à-vis de lui-même. Dès lors, si sa valeur est non nulle, il devrait imprimer une accélération de l'expansion de l'univers.

D'autres pistes sont évoquées. Par exemple, que l'énergie noire provient d'une « matière exotique », capable, au contraire de la matière habituelle, d'accélérer l'expansion. Radicalement différente de la matière que nous connaissons, elle représenterait une part notable de la masse de l'univers. Mais de quoi est-elle faite ? La question, là encore, reste entière.

Autres exemples : le vide quantique, même si rien ne permet d'affirmer qu'il exerce une influence gravitationnelle sur l'univers[1] ; des dimensions d'espace-temps supplémentaires ; une mystérieuse « quintessence » ; des modifications des lois de la gravitation ; ou encore que le champ associé au boson de Higgs pourrait à lui seul faire l'affaire…

Ce qui est désormais certain, c'est que la matière visible, ordinaire, benoîtement constituée d'atomes, celle qui compose nos corps, les étoiles et les galaxies, n'est en réalité qu'une frange du contenu de l'univers, son écume visible. Elle ne représente que trois ou quatre pour cent du total, pas plus.

Cette conclusion ébouriffante rend les physiciens modestes, en dépit des découvertes extraordinaires qu'ils ont faites. Ils ont du pain noir sur la planche puisqu'il leur reste à éclaircir la nature des deux principaux constituants actuels de l'univers : la matière noire et

---

1. Sans compter que l'énergie du vide quantique, qui ressemble bel et bien à l'énergie noire, semble être toutefois 10^{120} fois trop forte par rapport à ce qu'indiquent les observations… L'explication de cet écart gigantesque constitue sans doute l'un des plus grands défis de la physique théorique contemporaine.

l'énergie noire, qui représentent respectivement vingt-quatre et soixante-douze pour cent de la totalité…

Pour résoudre cette double énigme, peut-être faudra-t-il bouleverser les concepts les plus fondamentaux de la physique, inventer de nouvelles idées, et réitérer la double révolution, quantique et relativiste, du début du siècle dernier. La question de l'origine de l'univers, dès lors que nous ne la discutons jamais qu'à partir de ce que les théories physiques permettent d'en dire, pourrait s'en trouver elle-même toute chamboulée.

Bref, la place d'un nouvel Einstein semble toute prête. Mais qui saura l'occuper ? Qui pourrait inventer une théorie capable de dire l'exhaustivité de l'univers ? Non pas une théorie de ceci ou de cela, mais une théorie du tout ? Rien de moins !

6

Une théorie du tout
nous dira-t-elle tout sur tout,
ou surtout pas ?

> *Nous constituons une idole de la totalité,*
> *et une idole de son origine, et nous ne pou-*
> *vons nous empêcher de conclure à la réalité*
> *d'un certain corps de la nature, dont l'unité*
> *réponde à la nôtre même, de laquelle nous*
> *nous sentons assurés.*
>
> Paul Valéry

Wolfgang Pauli fut l'un des pères fondateurs de la physique quantique. Théoricien hors pair, original et fécond, son nom demeure directement associé à un principe fondamental de la physique quantique, le principe de Pauli, aussi appelé principe d'exclusion, et à la découverte d'une nouvelle particule, le neutrino, qu'il avait envisagée dès 1930 et qui fut détectée vingt-cinq ans plus tard.

La modestie n'était pas la qualité dominante de notre homme : il combattait avec fougue les idées qu'il pensait fausses, manifestait un mépris souverain pour tout ce qui lui semblait approximatif ou factice et maniait l'ironie mordante comme une première langue. Pauli était capable de se montrer très cassant, au point qu'il acquit la réputation d'être sûr de lui en toutes circonstances. « Tu es le fouet de Dieu », lui écrivit son ami Paul Ehrenfest[1].

Le 15 décembre 1958, Pauli mourut à Zurich d'un cancer du pancréas, à l'âge de 58 ans. Si l'on en croit l'anecdote colportée depuis dans le milieu des physiciens théoriciens, la mort ne l'a pas vraiment changé. Elle raconte que le père du neutrino fut accueilli au paradis par Dieu en personne :

« Pauli, tu as été un brave homme et un très grand physicien. Qu'est-ce qui te ferait plaisir ?

— J'aimerais bien connaître le secret de l'univers, l'équation ultime, celle qui unifie toutes les forces de la nature et que j'ai cherchée toute ma vie.

— Facile », lui répond Dieu, tout en le conduisant près d'un tableau noir, sur lequel Il écrit à la craie trois longues équations. Puis Il se retourne vers Pauli d'un air satisfait : « Voilà. »

Pauli regarde les équations en portant sa main au menton, hoche la tête, et lâche :

« Stupide ! »

L'anecdote est plaisante, mais elle nous donne très envie d'inverser les rôles : que pense Dieu des avancées actuelles de la cosmologie, des équations qu'écrivent les physiciens théoriciens ? Se montre-t-il moqueur ? attendri ? agacé ? Aurait-il envie de souffler quelques conseils ou indications ?

Qui pourrait répondre ?

---

1. Paul Ehrenfest, lettre à Wolfgang Pauli datée du 26 novembre 1928, in *Wolfgang Pauli. Scientific Correspondence*, vol. 1, New York, Springer, 1979, p. 477.

L'unification à laquelle Wolfgang Pauli aspirait est au cœur de la démarche scientifique. Depuis l'avènement de la physique moderne, ceux que l'histoire a retenus comme de grands physiciens ont tous été à l'origine d'unifications qui ont changé le visage et la puissance de la physique : Galilée réconciliant les mondes sublunaire et supralunaire ; Newton décrivant à l'aide d'une théorie unique les mouvements terrestres et célestes ; Maxwell unifiant l'électricité et le magnétisme en une description commune ; Einstein mêlant l'espace et le temps, jusqu'alors séparés, dans le concept unique d'espace-temps ; de Broglie construisant un pont synthétique entre l'onde et le corpuscule sur lequel viendra s'appuyer la physique quantique ; Abdus Salam, Steven Weinberg et Sheldon Glashow jetant les bases du modèle standard de la physique des particules unifiant les interactions électromagnétique et nucléaires...

Mirages du point final

Toutes les données de la science ne suffisent pas à comprendre le sens du monde.

Ludwig Wittgenstein

Aujourd'hui, des théoriciens cherchent à poursuivre cette démarche aussi loin que possible, car celle-ci s'est toujours révélée féconde et intellectuellement motrice. Ils tentent d'unifier en un seul et même corpus théorique les quatre interactions fondamentales. S'enfonçant jusque dans les terres inconnues de l'esprit, aux avant-postes de l'obscur, ils bouleversent l'idée que le commun des mortels a des liens possibles entre espace et temps, particules et forces. Blanchissant d'équations cabalistiques d'imposants tableaux noirs, ces gens ambitionnent d'embrasser la totalité du réel, de décrire par un seul jeu d'équations l'intégralité du monde, de ses lois et de son mobilier ontologique au grand complet.

Leur projet n'a certes pas encore abouti, mais l'horizon qu'ils visent a déjà été baptisé : c'est la « théorie du tout ». S'agit-il d'un doux rêve ou d'une ambition raisonnable ? Si une telle théorie voyait le jour, nous dirait-elle vraiment tout sur tout ?

Nous avons évoqué certains des obstacles qu'il leur reste à franchir : résolution de l'énigme de la matière noire, identification de la nature de l'énergie noire, unification de la physique quantique et de la relativité générale... L'ampleur de ces problèmes fournit une estimation basse de la distance à parcourir avant d'espérer pouvoir dire que la cosmologie a terminé son œuvre. Et il ne faut pas oublier une autre contrainte, d'ordre épistémologique : pour qu'une future théorie prétendument du tout puisse se proclamer « scientifique », il faudra qu'elle soit en partie intelligible et conduise à des prédictions cruciales qui puissent être vérifiées par des mesures, des observations ou des expériences. Sans quoi elle risquerait de ne pouvoir se départir du rôle d'éternelle conjecture – dont les implications ne seront pas nécessairement déchiffrables –, ou servirait de prétexte à pouvoir tout dire, de « foire à tout » en quelque sorte.

Mais ne soyons pas trop sceptiques et, surtout, ne partons pas perdants par procuration : admettons, *pour voir*, qu'une telle théorie du tout soit effectivement mise sur pied à plus ou moins brève échéance, que nous touchions un jour le fond du fond du monde physique ; admettons également, même si c'est présomptueux, que nous soyons capables de reconnaître en elle *la* théorie du tout, la seule et unique, parmi toutes celles qui pourraient lui faire concurrence ; admettons aussi, même si c'est encore plus présomptueux, que ses implications nous seront parfaitement intelligibles ; admettons enfin, même si c'est définitivement utopique, qu'elle soit assez courte pour être découverte et assez longue pour tout expliquer. La messe sera-t-elle dite pour autant ? Certains le pensent.

Stephen Hawking, pour ne citer que lui, concluait son fameux livre par ces mots incroyablement enthousiastes, pour ne pas dire naïfs : « Si nous parvenons vraiment à découvrir une théorie unificatrice, elle devrait avec le temps être compréhensible par tout le monde dans ses grands principes, pas seulement par une poignée de savants. Philosophes, scientifiques et personnes ordinaires, tous seront capables de prendre part à la discussion sur le pourquoi de notre existence et de notre univers. Et si nous trouvions un jour la réponse, ce serait le triomphe de la raison humaine, qui nous permettrait alors de connaître la pensée de Dieu[1]. » La pensée de Dieu ? Bigre ! Comme s'il allait de soi que Dieu « pense », et qu'une équation pourrait nous traduire sa pensée ! Qui peut honnêtement promettre que la physique nous mènera aussi loin ?

---

1. Stephen Hawking, *Une brève histoire du temps*, Paris, Flammarion, 1989.

Dans son tout dernier livre, *The Grand Design*, Stephen Hawking semble rompre avec ses positions précédentes : « L'univers n'a pas eu besoin de créateur, conclut-il. En raison de la loi de la gravité, l'univers peut se créer de lui-même, à partir de rien. La création spontanée est la raison pour laquelle quelque chose existe, pour laquelle l'univers existe, pour laquelle nous existons[1]. » Faut-il comprendre que dans le « rien » dont il est ici question se trouvait déjà la loi de la gravitation, alors que nulle matière n'y était présente[2] ? Alors, pourquoi ne pas dire que Dieu – sujet grave s'il en est – n'est pas autre chose que la gravitation[3] ? Toute chute deviendrait du coup une expérience authentiquement transcendantale et certainement sotériologique…

Le désir de totalisation, épaulé par notre goût pour la révélation (de préférence imminente), fait céder

---

1. Extraits publiés par le quotidien *The Times* daté du 2 septembre 2010.
2. Dans son livre, Stephen Hawking évoque essentiellement la théorie des supercordes, dont nous avons vu qu'elle prédit l'existence de la gravitation sans la postuler au départ. Il est donc étonnant que la gravitation lui apparaisse comme première par rapport à l'univers (c'est elle qui le crée), alors même que le statut de celle-ci dans la théorie sur laquelle il s'appuie n'est que secondaire (au sens où elle est dérivable de principes plus fondamentaux qu'elle-même…).
3. La croyance en Dieu n'est pas réfutable par la science (ni d'ailleurs démontrable). Car pour démontrer que Dieu n'existe pas, il faudrait savoir très précisément qui Il est, dire qui est cet être dont on dit qu'il n'a pas de réalité. Or comment connaître Dieu s'Il n'existe pas ? Certes, si votre Dieu a fait savoir qu'il était convaincu que l'atome ne pouvait pas exister, alors, en découvrant l'atome, la science le pulvérise. Mais si votre Dieu n'a pas d'idée particulière sur ce sujet, cette découverte ne vous ébranlera guère, non plus d'ailleurs que votre Dieu.

certaines digues intellectuelles, et nous expose au risque de conclure de façon prématurée. Emportés par leur élan, certains font (sans prévenir) un pas dans l'absolu : ils se laissent aller à nous survendre des prolongements métaphysiques qui vont bien au-delà de ce qu'offrent les théories elles-mêmes. Car à moins de sombrer dans une espèce de mysticisme idolâtre, il est certainement illusoire d'espérer extraire le sens du monde d'un jeu d'équations mathématiques. Mais c'est plus fort que nous : nous ne tolérons pas la contingence. Nous voulons du sens, du projet, du dessein. Dès lors que nous croyons connaître le sens du monde *à l'avance*, nous ne pouvons nous empêcher de le faire énoncer par telle ou telle théorie scientifique à notre goût, qu'elle soit déjà constituée ou simplement annoncée, de l'y projeter comme on verse du sel sur les aliments. Puis, tout émerveillés, nous nous extasions après coup de l'y reconnaître.

La théorie du tout, même si elle nous éclairait sur la façon que l'univers a eue d'apparaître, ne nous dirait sans doute pas *pourquoi* un tel *événement* a eu lieu. Il nous resterait donc à trouver les moyens de répondre à un certain nombre de toutes petites questions : L'univers a-t-il une raison d'être, un sens, une finalité ? Pourquoi (et pour quoi ?) l'univers décrit par notre théorie devait-il exister ? En vertu de quelle nécessité ? Quelle pourrait être la *cause* du fait qu'il y a un monde ?

Forçons le trait : jusqu'à nouvel ordre, les équations n'explosent pas. La formule $E = mc^2$, si souvent associée à Hiroshima et Nagasaki, n'a pas fait d'elle-même la bombe atomique – il a fallu que des ingénieurs, des techniciens, des militaires s'en mêlent en grand nombre.

Alors comment les principes et les équations constituant
la théorie du tout auraient-ils pu engendrer un monde
physique régi par eux, un univers aux ordres ? Quel
souffle aurait bien pu propulser leurs symboles abstraits
dans l'ontologie d'un univers en expansion, avec des
êtres humains à l'intérieur, qui naissent, vivent et
meurent ? Une théorie du tout ne suffit pas pour faire
un monde...

Théorie du *tout n'est pas théorie* de *tout*

> Mon pauvre toutou, lui dit Gavroche, tu as
> donc avalé un tonneau, qu'on te voit tous les
> cerceaux.
>
> Victor Hugo

Il y a d'un côté l'univers, de l'autre les lois physiques
qui nous permettent de le comprendre, au moins en
partie. Quelle relation le premier entretient-il avec les
secondes ? Même si nous nous trouvions dotés d'une
théorie du tout par ailleurs incontestable, rien ne garan-
tit que nous pourrions répondre à cette question. Mais
alors, si une telle théorie ne permet pas de comprendre
comment elle a pu *faire tout un monde*, ou simplement
comment elle est liée au monde, serait-elle encore digne
de porter son nom ? Un tout qui apparaît manifeste-
ment incomplet, est-ce encore un tout ?
   Au détour de ces interrogations, la cosmologie nous
apparaît pour ce qu'elle est, une discipline à la fois *globalisante* et *incomplète* : globalisante, car elle ambitionne

de construire un formalisme unique capable de décrire toutes les interactions fondamentales de l'univers ; incomplète, car cette théorie *du* tout qu'elle vise ne saurait être considérée *a priori* comme une théorie *de* tout. Il est en particulier déraisonnable d'espérer qu'un tel formalisme, si tant est qu'il nous soit accessible, nous confère une compétence universelle ou l'intelligence de tout ce qui existe.

Par exemple, il n'est pas garanti qu'il nous permette de comprendre le statut – autonome ou dérivé – des lois biologiques : les lois physiques les contiennent-elles, mais de façon implicite et invisible quand on en reste au seul champ de la physique, ou bien sont-elles apparues *de surcroît*, en marge des lois physiques et indépendamment d'elles ? En d'autres termes, quel lien de nécessité unit le monde physique au monde biologique ? Rien ne laisse présager que la résolution de cette question serait prochainement à notre portée.

Surtout, il y a peu de chances que nous soyons capables de déterminer, à partir de la théorie du tout, pourquoi nous sommes sur cette terre, ce que signifie se tenir droit, si Quelqu'un nous regarde, ce que nous deviendrons après notre mort. En effet, les théories scientifiques ne traitent vraiment bien que des questions... scientifiques. Or celles-ci ne recouvrent pas l'ensemble des questions qui se posent à nous. Du coup, l'universel que mettrait au jour une théorie *scientifique* du tout serait, par essence, incomplet. Il n'aiderait guère à mieux penser l'amour, la liberté, la justice, les valeurs en général, le sens qu'il convient d'accorder à nos vies. De telles questions sont certes éclairées par la science, et même modifiées par elle – un homme qui sait que son espèce n'a pas cessé d'évoluer et que l'univers est vieux d'au moins 13,7 milliards d'années ne se pense pas de la même façon qu'un autre qui croit dur comme fer qu'il a été créé tel quel en six jours dans un univers qui n'aurait que six mille ans –, mais elle ne peut les résoudre : c'est bien au-delà de son horizon.

La messe du tout n'est pas encore dite. Et même si les progrès récents de la cosmologie auraient certainement sidéré Albert Einstein et l'abbé Lemaître, il convient de ne pas vendre la peau de la Grande Ourse avant de l'avoir tuée.

7

L'ORIGINE, UNE AFFAIRE D'IMMANENCE
OU DE TRANSCENDANCE ?

> *Quand on aime le foie gras, inutile de connaître l'oie.*
>
> Jean d'Ormesson[1]

L'origine est ce par quoi une chose a commencé, selon la définition. Pourtant, à l'examen, son sens se révèle plus équivoque : au lieu de désigner une sorte de point crucial, de surgissement instantané, d'éclat décisif, l'origine souvent se temporalise, s'effiloche en histoires, s'épaissit en succession de phénomènes ou d'événements. Elle se mélange à d'autres concepts qui tendent à la disperser, à la noyer ou à la contredire. Ouvrant un dictionnaire, on découvre qu'elle s'acoquine avec d'autres entrées, s'éparpille en renvois, resurgit sous d'autres formes (création, cause, commencement, formation, genèse, fondement...). Ainsi nos discours sur l'origine sont-ils toujours ambivalents et hantés : l'appellation d'origine n'est pas toujours bien contrôlée...

---

1. *Jean d'Ormesson* est l'anagramme énigmatique de *j'adore mon sens* ! (S'agit-il du sens de l'humour ou du sens de l'univers ?)

Heureusement, les philosophes nous aident à clarifier les choses pour la question qui nous occupe. Ils ont en effet pris soin de distinguer deux significations. Le mot origine peut d'abord désigner la source dynamique de la totalité de ce qui existe : l'origine correspond alors à la cause antérieure à toutes les autres, au-delà de laquelle remonter n'a plus de sens ; une origine chronologiquement première et absolument créatrice, par essence distincte de tout ce qu'elle a produit et précédé, qui renvoie à une réalité autonome, absolue, en un mot *transcendante*.

Seconde signification : l'origine n'est pas la cause efficace et historiquement première, mais le fondement logiquement premier de tout ce qui existe. Ce fondement est un être particulier, toujours *immanent*, qui aurait la potentialité de se projeter hors de soi pour s'incarner, de s'excéder pour devenir quelque chose d'autre que lui-même. Pour un physicien, ce peut être le vide quantique dont nous avons parlé, gorgé de particules virtuelles en attente d'énergie pour exister enfin, ou bien un trou noir primordial dont l'explosion aurait engendré l'univers tel que nous le connaissons, ou bien quelque chose d'autre…

Ces deux intelligences du mot origine, cause première et fondement logiquement premier, s'appliquent fort bien au cas du langage : dans le premier cas, on s'intéressera à la forme qu'a pu prendre le premier langage, ancêtre des six mille langues existant aujourd'hui ; dans le second, on tentera de situer le contexte dans lequel se dessine la faculté de langage chez les humains. Il s'agit bien de deux questions différentes.

Cette distinction fondamentale nous aide à interroger la relation que pourrait entretenir avec l'univers sa propre origine. S'il s'agit d'une cause première, une cause qui n'a pas à être elle-même fondée (Dieu est souvent le bon candidat, à condition bien sûr qu'on ne se demande pas d'où provient Dieu...), alors il faut la penser comme une transcendance effectivement distincte de l'univers lui-même : l'origine de l'univers a besoin d'autre chose que ce qui se trouve dans l'univers pour se dire. Mais s'il s'agit d'un fondement logiquement premier, d'un fondement ontologique, elle renvoie plutôt à une entité immanente et non pas transcendante, à une cuisse de Jupiter qui aurait la particularité de rendre compte des autres existences empiriques, dont il faudrait ensuite expliquer de quelle autre cuisse de Jupiter elle provient elle-même, et ainsi de suite : la question de l'origine s'annonce alors comme une question sans fin.

Il existe bien deux points de vue, qui impliquent deux façons différentes de comprendre la notion d'origine. Le premier est un point de vue chronologique et transcendant : c'est notamment celui des trois monothéismes qui pensent la création en termes absolus, invoquant une origine radicalement distincte de ce qu'elle engendre. Le second, un point de vue logique et immanent : celui des Grecs, par exemple, qui ont pensé la création comme l'imposition d'une forme à une matière préexistante.

Mais qu'en est-il du travail des scientifiques ? À quel type d'origine ont-ils accès ? Quels liens établissent-ils entre l'origine d'une chose et la chose elle-même et quel

processus invoquent-ils pour expliquer comment la première fait apparaître la seconde ?

La physique aurait-elle un faible pour l'immanence ?

> *Je n'en pouvais plus*
> *D'entendre ce morceau de granit*
> *Me raconter son histoire*
> *Depuis les origines.*
>
>   Guillevic

Chose troublante, dès lors qu'on s'interroge sur le
fondement de l'univers, qu'on s'enquiert sérieusement
de son origine, on suppose implicitement que l'univers
n'a pas *en lui-même* son propre fondement, et qu'il y a
lieu, par conséquent, de la chercher en dehors de lui. La
cause du monde est à l'extérieur du monde, pronosti-
quait Kant. Mais si l'origine du monde est hors du
monde, cela ne revient-il pas *ipso facto* à considérer ce
monde comme contingent ? à poser qu'il aurait pu ne
pas être ?

On voit par là que nous ne pouvons échapper à la
question de savoir quelle sorte de lien relie dynamique-
ment l'origine d'une chose et la chose elle-même. Il
existe en physique des situations où la réponse à cette
question n'est pas trop compliquée, notamment lorsque
l'origine des choses consiste en une agglomération progressive d'éléments déjà existants. C'est le cas pour les
noyaux d'atomes, qui sont tous formés à partir des

mêmes ingrédients de base, à savoir des protons et des neutrons. Il existe d'autres cas, plus subtils, où l'origine d'une entité physique fait intervenir une autre entité physique : c'est le cas pour la masse des particules élémentaires, dont les physiciens sont en passe de démontrer qu'elle est due à leur interaction avec un champ quantique partout présent dans l'espace. Il existe enfin des situations pour lesquelles l'explication de l'origine passe par l'invocation d'un phénomène d'émergence : ce pourrait être le cas du temps tel que nous le connaissons. Certaines théories à l'ébauche suggèrent en effet que le temps (comme d'ailleurs l'espace) pourrait être l'émanation à une certaine échelle de phénomènes ne l'impliquant pas à une échelle plus petite.

Détaillons rapidement ces trois « cas d'école », car ils nous éclairent, chacun à sa façon, sur la manière qu'ont les physiciens de résoudre leurs « problèmes d'origine ».

1. *La formation des noyaux d'atomes.* L'eau que nous buvons, même quand nous la disons « fraîche », n'est pas née de la dernière pluie. Quelle que soit sa source, elle n'est même jamais de toute première jeunesse. En effet, de quoi l'eau est-elle constituée ? De molécules d'eau, elles-mêmes formées d'atomes d'hydrogène et d'oxygène. Or les premiers se sont formés dans l'univers primordial (il y a 13,7 milliards d'années) et les seconds dans le cœur d'une étoile (il y a environ cinq milliards d'années) qui les a ensuite dispersés dans le vide intergalactique. Se désaltérer est donc un acte grave et profond qui nous connecte intimement à presque toute l'histoire de l'univers : il consiste en définitive à absorber des

bribes de l'aurore du monde mélangées à des cendres plus tardives du feu stellaire.

Comment l'a-t-on appris ? Les astrophysiciens et les physiciens nucléaires ont pu reconstituer le grand récit qui mène de l'univers primordial jusqu'aux entités qui constituent la matière d'aujourd'hui. Nous pourrions commencer par dire que, « quelques petites minutes après le big bang, l'univers était encore très chaud, avec une température d'environ un milliard de degrés, etc. », mais cette formulation laisserait entendre que nous sommes tout à fait certains qu'il y a eu un commencement, marqué par un instant zéro que nous avons pu saisir. Or, comme nous l'avons vu, l'instant zéro n'a pas résisté aux assauts quantiques : il s'est carapaté on ne sait où. Le mieux est donc de dire que lorsque la température y était d'environ un milliard de degrés et la densité comparable à celle de l'air ambiant, l'univers était une sorte de grand chaudron cosmique, capable d'engendrer des bribes d'édifices matériels, mais se refroidissant au rythme de son expansion. Il y avait là les protons, mais aussi les neutrons, les électrons et les photons, tous très agités, filant dans tous les sens et se percutant sans cesse. Les photons, dont l'énergie était jusque-là suffisante pour briser systématiquement l'union d'un proton avec un neutron, finirent par devenir trop « mous » pour y arriver : les noyaux de deutérium, assemblages d'un proton et d'un neutron, purent donc commencer à se former. Dès leur apparition, ces noyaux de deutérium purent fusionner par paires, ou bien capturer à leur tour un proton, et ainsi former des noyaux d'hélium.

Les mariages de cette sorte allèrent alors bon train, mais ils n'étaient pas systématiques. Certains protons restèrent célibataires. Plus tard, ils servirent de noyaux à l'hydrogène, l'élément chimique le plus léger. Les mariages n'étaient pas non plus toujours durables. Il y avait des passades, voire de simples rencontres sans suite : des noyaux étaient formés qui ne survivaient que pendant des durées extrêmement courtes. Très rapidement, victimes de leur instabilité, ils se scindaient en d'autres noyaux plus légers en émettant du rayonnement. En clair, ils étaient « radioactifs ».

Après seulement trois minutes de ce petit jeu – chocs, mariages et ruptures – se trouvaient dans l'univers des noyaux d'hydrogène, de deutérium, d'hélium, de lithium et de béryllium. Mais rien d'autre : ni carbone, ni oxygène, ni noyaux lourds. L'ascension vers la complexité se trouvait soudainement bloquée. Il y a une explication à cela : l'univers était déjà tellement dilué par son expansion que les noyaux et les nucléons, trop éloignés les uns des autres, n'avaient plus la possibilité de se rencontrer et de former des noyaux plus gros. Plus de rencontres, donc plus de mariages.

Les choses n'en sont évidemment pas restées là. Bien plus tard, la mise en route des étoiles a permis la formation des éléments plus lourds, du carbone à l'uranium en passant par le fer, progressivement synthétisés grâce à une succession de réactions nucléaires, dans les étoiles elles-mêmes ou au cours d'explosions d'étoiles massives.

Dans toutes ses phases (primordiale, stellaire ou explosive), la nucléosynthèse est donc partie d'ingrédients de base, les protons et les neutrons, qu'elle a structurés en noyaux de plus en plus lourds. L'apparition des éléments chimiques au sein de l'univers n'a donc rien d'une création *ex nihilo*. Elle correspond au contraire à l'achèvement des processus dont ils sont les produits. L'explication de leur « origine » consiste en effet à décrire la façon dont ce qui les a précédés a pu les engendrer, à expliciter les phénomènes physiques successifs dont ils sont l'aboutissement. Mais reste ensuite à dire d'où provient ce dont ils proviennent, à savoir les protons et les neutrons. La réponse à cette question est désormais connue grâce, cette fois, aux travaux des physiciens des particules : de l'association de quarks (par paquets de trois) et de gluons dans l'univers primordial. Mais d'où sont venues ces particules élémentaires que sont les quarks et les gluons, sans structure interne connue ? Là, plus personne ne sait répondre : les quarks et les gluons n'ont pas d'origine identifiée. S'ils sont nés, c'est sous X.

La compréhension de l'origine des éléments chimiques finit donc par buter sur la question de l'origine des objets élémentaires qui les constituent : le canal historique, soudain, se bouche, et il devient impossible de remonter à la vraie source. En d'autres termes, la nucléosynthèse a besoin, pour se fonder, d'entités sans origine connue, dont on postule qu'elles étaient présentes dans l'univers dès avant la formation des protons et des neutrons. Cette démarche laisse planer comme un voile qui floute les tout premiers commencements des choses matérielles.

2. D'où vient que les particules ont une masse ? La masse des objets matériels qui nous entourent semble leur être consubstantiellement liée : nous éprouvons la même peine à nous figurer ce que pourrait bien être un corps matériel sans masse qu'à imaginer une masse pure qui ne s'incarnerait pas en un corps[1]. Comme si en notre esprit les notions de matière et de masse allaient toujours de pair, participaient l'une comme l'autre de la même idée de « substance ». Dès lors, se poser la question de l'origine de la masse des objets revient à se poser celle de l'origine des objets eux-mêmes.

Mais il faut se méfier de ce type de raisonnement, rapide, abrupt, car depuis Galilée, la physique n'a cessé de plaider pour que les idées les plus incontestables en apparence soient systématiquement interrogées, critiquées, testées[2]. S'interroger sur la nature de la masse ou au sujet de son origine pourrait ne pas être aussi stupide que cela en a l'air. Des renversements conceptuels sont toujours possibles, d'autant que certains argonautes de l'esprit ont envisagé que la masse, au lieu d'être une propriété des particules élémentaires, une caractéristique qu'elles porteraient en elles-mêmes, pourrait n'être qu'une propriété secondaire et indirecte des particules,

---

1. La masse mesure l'inertie d'un corps. Sa valeur traduit la difficulté qu'il y a à mettre en mouvement un corps au repos ou à immobiliser un corps en mouvement.
2. Alexandre Koyré expliquait que le pari de la physique moderne, à rebours de celle d'Aristote, consiste à vouloir « expliquer le réel par l'impossible ». Il prenait l'exemple du principe d'inertie qui, pour comprendre l'amortissement du mouvement des corps que nous observons dans le monde empirique, nous prie d'envisager l'idéal d'un mouvement qui ne s'amortit pas, à savoir le moment inertiel, que personne n'observe jamais et qui semble de ce fait impossible (Alexandre Koyré, *Études d'histoire de la pensée scientifique*, Paris, PUF, 1966, p. 166).

résultant de leur interaction avec... le vide quantique !
En somme, les particules pourraient n'avoir pas de
masse proprement dite, mais seulement « faire comme
si » elles en avaient une...

D'où leur est venue pareille idée ? Pour traiter les
interactions, le modèle standard de la physique des particules s'appuie sur un certain nombre de principes de
symétrie, fort efficaces et fort élégants, mais qui posent
un problème irritant : ils impliquent que toutes les particules élémentaires doivent avoir... une masse nulle !
C'est effectivement le cas du photon, mais pas celui de
la grande majorité des autres particules.

Du fait de cette contradiction flagrante entre la théorie et l'expérience, le modèle standard mériterait-il
qu'on le jette immédiatement aux oubliettes ? Non, ont
expliqué trois physiciens dans les années 1960, qui ont
fini par convaincre leurs collègues : François Englert,
Robert Brout et Peter Higgs. Leur idée est que les particules élémentaires de l'univers sont en réalité sans masse,
mais heurtent sans cesse des « bosons de Higgs », présents dans tout l'espace, ce qui ralentit leurs mouvements de la même façon que si elles avaient une masse.
Dans ce contexte, dire d'une particule qu'elle est très
massive revient à dire qu'elle interagit très fortement
avec le boson de Higgs, qu'elle subit sans cesse des collisions, tel un homme pressé qui traverse une foule
compacte, ce qui lui confère une inertie apparente, donc
une masse.

Le boson de Higgs existe-t-il vraiment ? Pendant près
de cinquante ans, les physiciens en ont douté : le principal danger qui guette les théoriciens n'est-il pas d'aper-
cevoir des fées au fond du jardin ? Mais en juillet 2012,

grâce au LHC et aux collisions de haute énergie qu'il permet de réaliser, ils ont pu établir de façon certaine que cette particule existe bel et bien. On peut donc désormais dire que la masse des particules ne leur appartient pas en propre : elle vient de ce que, dans l'univers primordial, le vide a soudainement changé ; il s'est soudain empli d'un champ quantique truffé de bosons de Higgs, le « champ de Higgs » – une sorte de glu partout présente – qui, couplé aux particules, leur confère leur masse propre.

Cette nouvelle compréhension de l'origine de la masse modifie complètement notre façon de penser ladite masse : celle-ci n'est plus une propriété primitive des particules, mais une propriété secondaire, dont l'explication s'appuie sur l'invocation d'une entité physique, certes d'apparence très abstraite, mais en réalité parfaitement immanente : le champ de Higgs.

3. Le temps, une notion primitive ou secondaire ? Dans les formalismes ordinaires de la physique, le concept de temps a le statut d'un être « primitif » : on y postule qu'il existe, indépendant des phénomènes, on prend acte du fait qu'il s'écoule, sans préciser sa nature, ni pour quoi il s'écoule. Mais certaines des théories (que nous avons évoquées) qui travaillent au dépassement de la relativité générale et de la physique quantique remettent en cause ce postulat, ce qui les conduit à questionner l'origine même du temps. Ce dernier pourrait-il émerger d'un substrat d'où il est absent, dériver d'un ou de plusieurs concepts plus fondamentaux que lui-même ? En d'autres termes, de quel *inframonde* physique pourrait-il être la manifestation ?

Des avancées décisives ont été faites sur ce sujet. Selon certains physiciens théoriciens, il serait même possible de construire une véritable « thermodynamique » du temps, qui le ferait apparaître comme le reflet d'événements ayant lieu à une très petite échelle et qu'on pourrait décrire sans faire directement référence à l'espace ni au temps. Si ces travaux théoriques débouchaient, ils pourraient révéler les racines du temps : il ne serait plus qu'une réalité secondaire, surnageant sur des structures physiques plus profondes qui ne le contiendraient pas à toute petite échelle[1].

Dans les trois exemples que nous venons d'évoquer, l'explication de l'origine d'une entité physique donnée mobilise toujours d'autres entités physiques. La physique ne quitte pas le terrain de l'immanence : elle rend compte de l'être par l'être. Mais il y a un exemple où les choses ne sont peut-être pas aussi claires et méritent un examen complémentaire : il concerne le statut des lois physiques vis-à-vis de l'univers au sein duquel elles agissent. En effet, dès lors que nous savons que l'univers évolue tandis qu'elles demeurent invariantes, une question se pose à leur sujet : procèdent-elles de l'immanence ou de la transcendance ? En d'autres termes, sont-elles solidaires de l'univers ou résident-elles hors de lui ?

---

1. Pour en savoir plus, voir *Le facteur temps ne sonne jamais deux fois*, *op. cit.*, chapitre 8.

Les lois physiques transcendent-elles l'univers ?

> *C'est bien la première fois que je me soucie de ce qu'une poule pense de moi.*
>
> Jean-Paul Sartre[1]

Imaginons deux électrons, les tout premiers apparus dans l'univers. Porteurs de charges électriques de même signe, ils subissent une force électrique qui a tendance à les éloigner l'un de l'autre, d'autant plus fortement qu'ils sont plus proches. C'est l'une des lois de l'électro-magnétisme qui le leur impose. Mais comment nos deux électrons connaissent-ils cette loi physique que nous, humains, ne connaissions pas avant d'aller à l'école ? Est-elle inscrite, depuis leur apparition, au fin fond de leur être ? L'ont-ils apprise par cœur ? Sont-ils capables de la décrypter de loin sur le grand tableau noir de l'univers ? Ou obéissent-ils plutôt à des consignes qui proviendraient de l'extérieur du monde ? Ou encore entament-ils des négociations avec l'univers pour déterminer ensemble le meilleur comportement pour des particules électriquement chargées ?

Cette entrée en matière bien naïve nous permet de poser une question fondamentale qui porte justement sur le statut de l'origine de l'univers : si l'univers est bel et bien apparu, ses lois physiques étaient-elles déterminées avant sa création ? Si la réponse à cette question est positive, pourquoi ne pas dire que les lois physiques

---

1. *Jean-Paul Sartre* est curieusement l'anagramme de *Satan le parjure*.

ont constitué le berceau de l'univers ? Si elle est négative, une autre question se pose : comment l'univers
est-il parvenu à « fabriquer » les lois physiques qui déterminent sa propre évolution et celle de la matière – noire
ou pas – qu'il contient ?

Au premier abord, les interrogations portant sur la
nature des lois physiques semblent relever de la métaphysique la plus éthérée. D'ailleurs, de nombreux scientifiques se contentent de hausser les épaules lorsqu'on
leur pose de telles questions, comme si nous n'avions
rien d'autre à faire qu'accepter les lois comme elles
sont : leur origine nous échappera toujours. Certains
suggèrent que les lois sont ce qu'elles sont en vertu
d'une sorte de nécessité logique. D'autres avancent,
comme nous l'avons vu, que de multiples univers parallèles pourraient exister, qui seraient dotés chacun de lois
différentes, parmi lesquels seul un nombre restreint posséderait les lois spécifiques nécessaires à l'émergence de
la vie et de la conscience.

Ces questions ont beau relever de la philosophie, du
moins pour partie, il est bien difficile de les laisser de
côté, de faire comme si elles ne se posaient pas. En
effet, avec quelles armes parvenons-nous à affronter le
problème de l'origine ? Réponse : par le seul biais des
lois physiques que nous connaissons, des principes qui
les sous-tendent et des théories qui les englobent. En
effet, ce sont elles que nous utilisons, d'abord pour
décrire l'univers actuel, puis que nous projetons aussi
loin que possible dans le passé pour tenter de décrire
l'univers primo-primordial. Ce constat nous oblige
donc à nous interroger sur la correspondance existant
entre l'univers et les lois physiques qui agissent en lui

(et aussi sur lui ?). Quelle relation le monde empirique entretient-il avec son arsenal législatif ? Lequel précédait l'autre ? Qui est l'œuf ? Qui fait la poule ?

Un constat s'impose. Les lois physiques sont « hors du temps », au sens où elles ne changent pas au cours du temps : elles étaient les mêmes dans l'univers primordial qu'aujourd'hui. L'univers, lui, a changé. Plus précisément, les conditions physiques au sein de l'univers n'ont cessé d'évoluer.

Cette différence de comportement temporel entre l'univers et ses lois pose un problème redoutable : comment un univers qui évolue peut-il être régi par des lois physiques qui n'évoluent pas ? Celles-ci demeurent-elles vraiment invariables ou changent-elles progressivement, imperceptiblement ? Ces questions interrogent le statut des lois vis-à-vis de l'univers lui-même : sont-elles hors du monde ou en font-elles partie ? Si la première hypothèse est la bonne, comment parviennent-elles à agir au sein même de l'univers alors qu'elles lui sont extérieures ? Et si elles font intrinsèquement partie de l'univers qui, lui, est en évolution, comment parviennent-elles à y demeurer fixes ? Auraient-elles un statut spécial qui leur permettrait d'échapper à toute forme d'historicité[1] ?

---

1. L'invariance des lois physiques « par translation du temps » (comme disent les physiciens pour signifier qu'elles ne changent pas au cours du temps) apparaît comme l'une des conditions de possibilité de la physique, au sens où, si elle n'était pas réalisée, les sciences physiques, cosmologie incluse, seraient un simple jeu, voire impossibles. En effet, pour dire l'historicité des phénomènes, ne faut-il pas d'abord pouvoir convoquer des lois échappant à l'histoire ? Pour exprimer le changement, ne faut-il pas d'abord disposer de concepts qui ne changent pas ? Si, au cours du temps,

On peut d'abord considérer que les lois physiques sont des produits de la « pensée », du moins qu'elles en sont inséparables. Mais de quelle pensée ? Celle de l'homme, infime partie de l'univers ? Mais alors, comment celle-ci pourrait-elle saisir la structure du tout qui la contient ? Comment les lois physiques parviendraient-elles à participer à la fois du *monde* qu'elles structurent et de la *pensée* qui permet de comprendre ce monde ?

On peut préférer distinguer, à la suite de Spinoza, deux sortes d'univers, ou plutôt un même univers qui se donnerait sous deux modes différents : l'univers en tant qu'il est d'une part conçu sous l'attribut de l'étendue, d'autre part sous l'attribut de l'intellect, c'est-à-dire en tant qu'il obéit à l'ordre intelligible de lois éternelles. En d'autres termes, considérer qu'il y a d'un côté un univers *matériel* et *spatial*, doté d'un certain mobilier ontologique constitué de particules et de champs quantiques, de l'autre, un univers *législatif* contenant des lois, des principes et des règles accessibles par la pensée. Mais comment ces deux modes d'être de l'univers communiquent-ils ?

On peut également envisager avec Platon l'existence d'équations mathématiques exprimant les lois physiques, lesquelles seraient tout à fait indépendantes de

---

rien ne demeurait fixe, le monde ne serait-il pas fondamentalement inconnaissable ? Tout ne se perdrait-il pas dans la confusion ? C'est donc bien parce que ses lois n'ont pas elles-mêmes d'histoire que la physique peut dire l'histoire de ce qui est assujetti à ses lois : de par sa constitution même, elle exprime le devenir à partir d'éléments qui échappent au devenir, décrit des évolutions et des histoires à partir de règles qui *sont* mais ne *deviennent* pas.

l'univers naturel qui n'en serait qu'une image mobile et imparfaite, irrémédiablement privée des qualités de l'être et seulement vouée au devenir[1]. L'univers serait en quelque sorte un écho physique dégradé de la pureté mathématique qui le tiendrait sous sa coupe. Si tel est le cas, comment le monde des Idées parvient-il à structurer « à distance » le monde des phénomènes[2] ?

On peut enfin suivre Leibniz et concevoir que le système des lois définit un ensemble d'univers possibles, logiquement cohérents, parmi lesquels le nôtre serait un cas particulier, choisi par Dieu en raison de ses qualités exceptionnelles (« le meilleur des mondes possibles ») ou pas choisi du tout. On reconnaît là toute la question du principe anthropique que nous avons évoquée plus haut.

Si l'on prend acte de l'opposition entre la temporalité de l'univers et la permanence de ses lois, laquelle de ces pistes apparaît comme la plus pertinente ? De prime abord, cette opposition encourage plutôt l'idée que les lois ont un mode d'existence tout à fait différent de celui des êtres du monde naturel dont elles permettent de comprendre l'histoire. En effet, l'invariance des lois

1. Pour Platon, il existe un monde de formes intelligibles, réalités immuables et universelles faisant l'objet d'une connaissance et d'un discours vrais, et auxquelles participent les choses sensibles qui n'en sont que des copies.
2. Comment les formes sensibles participent-elles aux formes intelligibles ? Pour résoudre ce problème, Platon énonce dans le *Timée* deux hypothèses qui donnent naissance à deux fictions : celles d'un démiurge, qui fabrique ou qui plutôt met en ordre l'univers, et celle de la *khora*, le matériau sur lequel intervient le démiurge, et qu'on appellera matière (en grec, *hulé*) à partir d'Aristote.

physiques ne semble guère s'accorder avec la notion d'un univers qui serait fermé sur lui-même au sens où il « produirait » de lui-même les lois qui le régissent : les lois physiques doivent plutôt appartenir à un autre monde, à un monde législatif, fixe, de type platonicien, qui aurait la capacité d'agir sur le déploiement historique de notre univers.

Mais cette conception, quoique majoritaire, ne fait pas l'unanimité. Certains physiciens considèrent que l'invocation d'une invariance absolue des lois physiques, qui ne feraient que téléguider l'évolution de l'univers, relève d'un postulat métaphysique dont la physique contemporaine devrait se débarrasser de toute urgence. Elle pose en effet la question de savoir ce que faisaient les lois physiques, supposées identiques à elles-mêmes de toute éternité, avant qu'apparaissent l'espace, le temps, la matière. Étaient-elles déjà là, à attendre patiemment qu'un univers veuille bien se donner le mal d'apparaître afin de les rendre *effectives* ? Mais que signifie attendre quand il n'y a pas encore de temps ? Et où étaient-elles, ces lois ? D'où provenaient-elles ? De quelque empyrée des Idées pures qui aurait surplombé le néant ?

Alors, expliquent ces physiciens, plutôt que d'affronter ces terribles questions, pourquoi ne pas imaginer que les lois physiques résident au sein même de l'univers et, comme lui, évoluent au cours du temps, en une sorte de processus adaptatif de type darwinien ? C'est ce que suggère le physicien théoricien Lee Smolin[1] : il y aurait

---

1. Lee Smolin, *The Life of the Cosmos*, Londres, Weidenfeld and Nicholson, 1997.

comme une sélection naturelle d'ordre cosmologique des lois physiques qui permettrait à l'univers de changer, au cours du temps, ses propres lois d'évolution. L'univers s'adapterait en quelque sorte à son propre état, et ses lois physiques ne s'actualiseraient que lorsque les objets auxquels elles s'appliquent deviendraient effectivement présents (les lois de l'électromagnétisme, par exemple, ne se seraient amorcées qu'avec l'apparition des électrons et autres particules électriquement chargées). Cette idée (qui avait déjà été suggérée à la fin du XIXe siècle par le philosophe Charles Peirce) permet d'accorder à tout instant présent une singularité qui le distingue des autres : chaque « maintenant » pourrait être caractérisé par un certain état des lois physiques, permettant de le distinguer de tous les « maintenant » qui l'ont précédé et de tous ceux qui le suivront.

Évidemment, une telle hypothèse fait aussitôt surgir de nouvelles questions, plus redoutables encore : existe-t-il ou non une métaloi qui pilote cette évolution des lois physiques ? Si oui, cette métaloi évolue-t-elle d'elle-même ? On le voit, la question de l'origine des lois physiques est toujours amenée à se déplacer, en l'occurrence de lois en métalois, de métalois en superlois, de superlois en métasuperlois, etc.

Dès qu'on envisage la question de l'origine des lois, on découvre qu'une régression possiblement infinie se profile à l'horizon. L'affaire se complique sérieusement. Peut-on imaginer que, à l'origine de l'origine de l'origine de toutes les origines de l'univers, des lois universelles étaient déjà là, sans qu'il y ait encore un univers pour les actualiser, en compagnie du seul néant ?

Nous reste-t-il un peu de magnésie ?

Un néant peut-il se transmuter en un univers ?

Les verrous sont poussés au pays des merveilles.
                                        Robert Desnos

Admettons, par hypothèse, que l'univers ait eu une origine au vrai sens du terme, c'est-à-dire qu'il ait surgi du néant pur. Notre langage, nos mots, nos théories pourraient-ils décrire cette transition du non-être à l'être, cette sorte de métamorphose radicale qui se serait produite au sein même de… rien ? Cette question nous oblige à faire un petit détour en allant interroger notre façon de comprendre le changement en général, et nous regarderons ensuite si elle est applicable à cet être particulier qu'est le néant.

Commençons par examiner l'idée de changement d'un être ou d'un objet concret. Celle-ci a beau sembler relever alors de l'évidence, elle constitue pourtant un authentique paradoxe, qu'ont relevé les premiers philosophes grecs. Soit l'être ou l'objet dont on dit qu'il change demeure un et le même, et alors il n'a pas changé ; soit il a vraiment changé, et alors on ne peut plus dire qu'il est un et le même…

Commençons par la première possibilité : admettons le principe de l'identité « de soi à soi » : si un être ou un objet particulier, disons x, est nécessairement identique à lui-même, il ne peut en toute rigueur changer, puisqu'alors il cesserait d'être x. Cette manière de penser conduit à admettre qu'il n'y a pas de sens à parler de changement : celui-ci est au mieux une illusion, une apparence qui se jouerait de nous, au pire une absurdité.

La seconde possibilité (l'objet ou l'être a vraiment changé, et alors il n'est plus un et le même) semble naturelle dès lors qu'on prend au sérieux l'idée même de changement : changer, c'est, par définition, devenir différent et, par conséquent, ne plus être identique à soi-même ; si x change, c'est qu'il cesse d'être x. Il n'y aurait pas de sens à parler d'être ou d'objet particulier qui seraient persistants dès lors qu'ils sont soumis au changement.

Nous voyons maintenant clairement le dilemme : ou bien nous acceptons le principe d'identité de soi à soi, et nous devons alors refuser l'idée de changement ; ou bien nous acceptons le changement, et nous devons alors refuser le principe d'identité de soi à soi. Comment ce dilemme a-t-il été tranché ? En comprenant que changer, ce n'est pas être remplacé, ce n'est pas cesser d'être soi, c'est être soi autrement. Une identité perdure donc toujours dans et malgré le changement. Par exemple, cette bicyclette rouge qui a changé de couleur, c'est celle qui, autrefois, était bleue ; c'est la même, qui a été repeinte en rouge. En d'autres termes, nous ne parvenons à comprendre le changement qu'à la condition de considérer que le sujet du verbe changer, cela dont on dit qu'il change, c'est précisément ce qui ne change pas au cours du changement !

Fascinante conclusion, au demeurant : une chose x ne peut changer que si, en elle, quelque chose ne change pas, et c'est parce que ce quelque chose de x ne change pas qu'on peut dire de x que c'est lui qui change...

À la contradiction d'ordre logique entre changement et identité est ainsi venue s'opposer l'idée selon laquelle les êtres ou les objets particuliers peuvent persister dans le changement ou, si l'on préfère, changer sans perdre toute leur identité : nous estimons qu'une chose particulière peut subir certains changements, c'est-à-dire ne plus être la même, tout en demeurant elle-même.

Mais comment ces considérations s'appliquent-elles si la chose qui change n'est pas un objet, mais le néant ? Pour qu'on puisse dire que le néant change, il faudrait d'une part que quelque chose de lui subsiste au cours – et même au-delà – de son changement, et d'autre part qu'une ou plusieurs de ses propriétés changent. Mais quelle propriété le néant pourrait-il avoir ? Et surtout, quelle propriété pourrait-il avoir qui puisse changer ? Aucune, par définition, car attribuer au néant une propriété suffirait à faire de lui quelque chose, c'est-à-dire à le distinguer de lui-même. Le néant n'étant rien, il n'y a rien en lui qui puisse être autre chose que rien. Sauf si, bien sûr, on imagine que le néant n'était pas seul, qu'il a cohabité avec les lois physiques qui auraient eu, elles, le pouvoir de le métamorphoser en un univers… Mais par quel mécanisme ? Et puis, en faisant cette greffe entre le néant et les lois physiques, ne retombet-on pas, une fois de plus, sur la même difficulté : un néant accompagné de lois physiques, même considérées comme transcendantes, est-ce encore un néant ?

Que conclure ici ? Que nous sommes incapables de décrire et peut-être même de concevoir un changement qui concernerait le néant. S'il est « seul au monde », celui-ci ne saurait être le sujet du verbe « changer », puisqu'un néant auquel nous attribuerions la capacité de changer, la potentialité de devenir autre qu'il n'est, serait déjà quelque chose, c'est-à-dire le contraire du néant qu'il est. Dès lors, si l'univers a eu une origine, c'est-à-dire s'il a résulté d'une extraction hors du néant, celle-ci est indicible. Sur elle, nous ne pouvons donc que faire silence. Silence respectueux, cela va sans dire.

8

LE DÉBUT, UNE QUESTION SANS FIN

> *Il est étrange que l'on dise de Dieu qu'il*
> *a créé le monde, et non : Dieu crée conti-*
> *nuellement le monde. Pourquoi faudrait-il*
> *que le fait que le monde ait commencé à être*
> *soit un plus grand miracle que le fait d'avoir*
> *continué à être ?*
>
> Ludwig Wittgenstein

L'origine de l'univers demeure bel et bien un mystère, une question authentiquement métaphysique, sans
réponse connaissable. Elle est sans image fixe, sans point
d'ancrage ferme. Cependant, dès qu'un discours prétend
nous éclairer sur elle, nous tendons l'oreille, avides d'entendre l'écho du tout premier signal. Nous, les humains,
sommes des animaux métaphysiques, disait Schopenhauer,
les seuls qui s'interrogent sur l'être en tant qu'être, les
seuls pour qui l'être fasse question.

Les anthropologues l'ont montré : aussi loin qu'ils
puissent remonter dans le passé, ils constatent que les
interrogations sur l'origine ont préoccupé l'être humain.
Toutes les sociétés, grandes ou petites, puissantes ou
faibles, perdues sur un îlot rocheux ou dans un désert
inhospitalier, proposent une « histoire du monde ». La

variété et la richesse des récits qu'ils rapportent des quatre coins de la planète sont d'ailleurs impressionnantes. La question de l'origine du monde envoûte les hommes, presque tous les hommes, aimante leur esprit et leur âme.

Philosophes, psychanalystes, psychologues et théologiens n'ont pas manqué d'apporter des réponses éclairantes au pourquoi de ce questionnement : l'origine serait une quête sans fin prévisible, le moteur même de notre questionnement, un manque qui nous habite, une carence qui nous définit, une déficience qui nous aiguillonne, une illusion salvatrice.

Nous voudrions seulement compléter ces réponses par l'argument suivant : si la question de l'origine est si prenante, si difficile à licencier, si captivante, c'est aussi parce qu'elle se situe au point de rencontre de deux mouvements opposés de la pensée : le premier est celui qui incite à considérer que seule la compréhension du passé peut fonder l'intelligence du présent ; le second qu'il n'est possible de comprendre *ce qui fut* qu'à partir du moment où l'on comprend *ce qui est*.

Une part de l'activité intellectuelle est en effet rétrospective par prédilection : nous sommes portés à croire que si nous connaissions le « vrai commencement » de l'univers, c'est-à-dire ses conditions initiales exhaustives, nous connaîtrions *ipso facto* l'intégralité de son devenir. Le commencement est un dieu. *L'origine a un parfum de fin des fins* : invoquant une intrication de déterminisme et de causalité, nous jugeons que le sens et le terme de l'histoire sont fixés par son début, et même déjà contenus en lui. Les conditions initiales du *big bang*, entend-on souvent dire, renfermeraient en germe tout le destin de l'univers, et également sa signification (c'est pourquoi l'on voudrait qu'elles soient les plus prestigieuses possibles). Pareille conception prête implicitement à l'origine des allures de clef essentielle, capable d'ouvrir toutes les serrures qui nous résistent encore.

Inversement, nous nous plaisons à considérer que les vérités sont nécessairement éternelles. Notre entendement attribue donc à toute affirmation qu'il croit vraie un effet rétroactif. Ou plutôt, pour parler comme Henri Bergson, il lui imprime un « mouvement rétrograde » qui la projette dans le passé : « Notre appréciation des hommes et des événements, écrit l'auteur de *La Pensée et le Mouvant*, est tout entière imprégnée de la croyance à la valeur rétrospective du jugement vrai, à un mouvement rétrograde qu'exécuterait automatiquement dans le temps la vérité une fois posée. Par le seul fait de s'accomplir, la réalité projette derrière elle son ombre dans le passé indéfiniment lointain ; elle paraît ainsi avoir préexisté, sous forme de possible, à sa propre réalisation. De là une erreur qui vicie notre conception du passé ; de là notre prétention d'anticiper en toute occasion l'avenir[1]. »

En parlant d'origine, on feint en effet de se donner le principe d'où viennent les éléments ultérieurs, alors que c'est l'opération inverse qui a lieu : l'ultérieur prétendu se trouve seulement rétrogradé vers un avant qui le conserve et le fige en forme de modèle intemporel. En bref, le retour sur l'origine peut avoir quelque chose de conservateur et de projectif : négligeant les irréversibles productions de l'historicité, on fait comme si les

---

1. Henri Bergson, *La Pensée et le Mouvant* [1934], Paris, PUF, coll. « Quadrige », 2009, p. 18.

causes devaient nécessairement ressembler aux effets
qu'elles produisent, comme si le passé, forcément similaire au présent, n'en était qu'un doublon reflet tempo-
rellement décalé.

Reprenons l'exemple de « l'origine du langage » : le
langage nous est présent comme une réalité de fait et
nous nous demandons de quel état antérieur il a bien
pu provenir, dans l'espoir de nous approcher de l'essence même du langage. Nous construisons à cette fin
un récit, une fable ou un mythe destinés à nous faire
assister à sa genèse. Mais le succès de cette entreprise
n'est nullement garanti, et même très douteux. Car ou
bien ce récit ressemble trop à la réalité que nous souhai-
tons engendrer, et il ne nous apprend rien ; ou bien il
en diffère assez pour instituer un écart manifeste, et il
nous prive alors de référent et pose plus de questions
qu'il n'en résout. Si l'on examine tous les discours qui
ont été tenus sur le cri, l'onomatopée, le babil, on se
rend compte qu'à partir d'eux nous ne rejoindrons
jamais le discours articulé proprement dit ou, si nous le
rejoignons, c'est que nous l'avions déjà subrepticement
enfoui dans ces réalités évanescentes[1]. Bref, nous ris-
quons de tourner en rond puisque nous insérons au sein

---

1. Cette difficulté est d'ailleurs à l'origine d'un clivage entre lin-
guistes. Certains, tel Noam Chomsky, considèrent que le langage
est inscrit génétiquement chez l'homme et se trouve en disconti-
nuité absolue avec les systèmes de communication des primates
non humains. Dans ce contexte, l'idée que le langage démarre à un
moment bien précis de l'évolution a un sens. Mais d'autres lin-
guistes considèrent plutôt que le langage humain se situe dans la
continuité des systèmes de communication des autres primates.
Dès lors, le terme d'origine ne peut plus avoir une acception étroitement chronologique. Il est en effet impossible de déterminer un

même de l'origine ce qui en est issu, fabriquant ainsi un joli poisson qui se mord la queue. La question de l'origine peut avoir quelque chose de fermé, de circulaire, voire de tautologique, qui nous ensorcelle[1].

En se frottant l'un contre l'autre, en se heurtant même comme deux plaques tectoniques, ces deux mouvements de la pensée – celui qui vole vers l'origine, celui qui jaillit d'elle – portent la question de l'origine aux températures les plus élevées qui puissent exister dans nos cerveaux avides : nous espérons d'elle qu'elle saturera notre connaissance de l'univers, voire qu'elle nous révèle le sens véritable de nos existences, en même temps que nous comptons sur les progrès de nos connaissances pour la résoudre un jour.

L'idée d'origine apparaît ainsi dans toute son ambivalence : tantôt, pensée comme le problème fondamental à résoudre ; tantôt, comme la solution définitive de tous les autres problèmes que nous avons par ailleurs à résoudre. Ce pour quoi, vraisemblablement, elle exerce sur nos esprits une telle aspiration, tenace et toujours déçue.

---

point précis de l'évolution avant lequel le langage n'existe pas, et après lequel il déploie toutes ses virtualités.
1. En 1866, la Société de linguistique de Paris a interdit toute recherche sur l'origine des langues, au motif que cette prétention excédait les capacités conceptuelles de l'homme et les moyens de la science. L'article 2 de ses statuts stipule expressément que « La société n'admettra aucune communication concernant soit l'origine du langage, soit la création d'une langue universelle. » À la fin du XXe siècle, la question a toutefois retrouvé une légitimité scientifique en bénéficiant des découvertes sur les bases physiologiques et neurologiques du langage, et des avancées de nos connaissances sur le langage animal.

Petit pas de côté du grand côté chinois ?

> *Toute philosophie, si radical que soit son questionnement, ne vient qu'après, pliée qu'elle est dans son idiome : elle ne pourra que le réfléchir.*
>
> François Jullien

Les apories auxquelles nous confronte le concept d'origine semblent nous condamner à l'impuissance, au silence. Cette situation est-elle spécifique à notre façon occidentale de dire ? Serait-elle liée, de façon souterraine, à la structure même de notre langage, à la façon dont il s'est historiquement constitué ? Dans un livre récent, François Jullien posait la question de savoir pourquoi, en Chine, la question de l'origine s'efface : « Comment ne pas s'étonner, demande-t-il, que les Chinois ne se soient pas préoccupés du Début et de la Fin des choses ? Ni du début premier ni de la fin dernière ? Et qu'ils ne se soient pas passionnés pour l'énigme de la Création ni n'aient jamais dramatisé l'Apocalypse[1] ? » Sa réponse est sans ambiguïté. Cet écart par rapport à nous tiendrait tout entier dans la différence de langage : le nôtre est un langage ontologique, il ne désigne jamais que des étants et se trouve par construction incapable de décrire comment ces étants sont survenus, de sorte que pour nous la question de l'origine devient à la fois inévitable et impossible ; tandis que la langue chinoise ne décrit que des processus, des phases, des évolutions continues, non des choses, de sorte que pour elle la

---

1. François Jullien, *Les Transformations silencieuses*, Paris, Grasset, 2009, p. 91.

question de l'origine ne se pose pas ; pour parler de l'origine des choses, encore faut-il considérer qu'il y a des choses. « Nous avons du mal à parler des transitions continues, explique François Jullien. La neige qui fond en tombant sur le sol est-elle encore de la neige ou déjà de l'eau ? Cette série d'impuissances ou de difficultés de notre pensée est sans doute une conséquence de choix premiers qu'elle a opérés : à savoir qu'elle est avant tout une pensée de l'Être, une ontologie, une pensée de l'identité et de la substance. On peut lui opposer la pensée chinoise, fondée, elle, sur la transition, la polarité entre les contraires qui coexistent sans cesse, c'est-à-dire sur le procès perpétuel des choses[1]. » En Chine, l'idée de « substance » n'ayant pas pris corps, il est difficile de concevoir que quelque chose de stable, d'invariable, puisse se maintenir identiquement à lui-même lors d'un changement. La notion d'identité, essentielle dans notre façon de comprendre le changement (nous supposons un support-substrat du changement qui se maintient dans le changement), se défait, devient incongrue. La vie et le monde sont en transition continue et ne peuvent être dits que sous l'angle d'un perpétuel devenir.

En Occident, au contraire, le parti pris de l'être nous empêcherait de penser la transition. Il ferait barrage à l'intelligence des transformations « silencieuses », selon la formule de François Jullien, celle de l'herbe *en tant qu'elle pousse*, de la montagne *en tant qu'elle s'érode*, de ce visage *en tant qu'il vieillit*. Notre intelligence isole, morcelle, et surtout stabilise : pour nous, plus cela est

---

1. *Les Transformations silencieuses, op. cit.*, p. 24.

déterminé et moins cela peut devenir. De sorte que « la transition fait littéralement trou dans la pensée européenne, la réduisant au silence[1] », alors que pour les Chinois, au contraire, la vie et le monde ne sont jamais pensés qu'en transitions continues[2].

À écouter les scientifiques disserter sur l'origine de l'univers, on découvre qu'il n'est jamais question dans leur bouche de genèse proprement dite : ils parlent seulement de généalogies, de métamorphoses, de structurations de constituants élémentaires en systèmes plus complexes. En d'autres termes, s'ils disent chercher l'origine, ils n'en révèlent jamais que les sous-produits, c'est-à-dire des transitions d'un état à un autre, des processus permettant de comprendre l'apparition d'un nouvel objet, le commencement de son histoire. Toute origine qu'ils entraperçoivent n'est jamais qu'une étape, qu'une origine secondaire, qu'un commencement précédé d'un autre commencement. Ils ne semblent pouvoir identifier des sources qu'en leur associant les rochers d'où elles

---

1. *Les Transformations silencieuses*, op. cit., p. 26.
2. N'étant pas sinologue (mais alors pas du tout), je crains de me lancer dans des interprétations hasardeuses et peut-être même totalement fausses. Mais il m'a semblé, au gré des lectures que j'ai pu faire, que le Tao se situait précisément entre l'être et le non-être, dans une sorte d'entre-deux ontologique. En effet, que dit-on de lui ? Qu'il est un pur indéterminé, un insaisissable qui ne possède même pas la propriété d'exister. Il est incréé et vide. Éternel, il n'est pas soumis à transformations. Néanmoins, c'est parce qu'il est en dehors de l'Être et soustrait à la mutation des formes que le Tao est créateur : en retrait du monde, il est ce par quoi les choses sont. Il ne se manifeste que dans ses résultats, les phénomènes, sans que jamais les processus et les formes de son action demeurent visibles. Son mode d'agir est imperceptible, secret. Cette figure est peut-être

jaillissent. Dès lors, les origines dont ils parlent ne constituent pas l'amont premier, mais, à rebours du (bon) sens des mots, se posent plutôt en ultime aval : elles *achèvent* quelque chose.

La question de l'origine de l'univers est, par définition, une affaire de transition, la plus radicale de toutes puisqu'elle fait passer de l'absence de toute chose à la présence d'une chose. Elle est cette question que nous ne pouvons pas ne pas nous poser en même temps que nous ne disposons pas des armes conceptuelles et des compétences langagières qui nous permettraient de la résoudre. L'origine, « l'arrivant absolu », donne ainsi à entendre l'impuissance incurable du *logos*. Elle le provoque, tout en lui présentant systématiquement le moment où il rencontre sa propre butée. L'origine, cet *ante-* « il y a », semble être ce qu'aucune proposition vraie ne peut dire : « Ce qui s'exprime *dans* le langage, dit Wittgenstein dans le *Tractatus*, nous ne pouvons l'exprimer *par* le langage[1]. » Quand nous parlons de l'origine, en effet, nous ne la disons pas.

Lorsqu'il pose la question de l'origine de l'univers, de l'origine de toutes les origines, notre langage se réfracte lui-même, pour s'abîmer dans ce qui n'est que son ombre. Une ombre définitivement envoûtante.

---

celle qui nous manque pour être capables de dire la transition entre l'être et le non-être.
1. Ludwig Wittgenstein, *Tractatus logico-philosophicus*, 4.121.

GLOSSAIRE

Accélérateurs de particules et collisionneurs : Pour étudier
une particule, il faut, d'une façon ou d'une autre,
l'éclairer, c'est-à-dire envoyer sur elle un faisceau de
particules, pas nécessairement de lumière. Des particules « sondes » doivent donc être violemment proje-
tées sur des particules « cibles ». Les particules sondes
doivent avoir beaucoup d'énergie, en vertu de deux lois
de la physique. La première est une loi quantique qui
indique qu'à toute particule est associée une longueur
d'onde d'autant plus courte que la particule est plus
énergétique. La deuxième stipule qu'un phénomène
ondulatoire n'interagit qu'avec des objets de dimension supérieure à sa longueur d'onde. La houle de
l'océan n'est pas affectée par la présence d'un baigneur,
car la taille de celui-ci est petite par rapport à la distance séparant deux vagues successives. En revanche,
elle est perturbée par la présence d'un paquebot. Si la
particule que nous choisissons pour cible est petite, les
particules devront avoir une longueur d'onde plus
petite encore. Il faudra donc leur donner une énergie
élevée, d'autant plus élevée que la particule cible est

plus petite. C'est essentiellement cette tâche-là qui incombe aux accélérateurs et aux collisionneurs de particules. Ce sont des sortes de microscopes géants, capables de distinguer les constituants infimes de la matière.

Antiparticule : À toute particule est associée une anti-particule, de même masse et de charge électrique opposée. L'existence des antiparticules, et plus géné-ralement de l'antimatière, avait été prédite dans les années 1930. Elle s'imposait, d'un point de vue théo-rique, aux yeux des physiciens qui tentaient d'unifier la relativité restreinte et la physique quantique afin de pouvoir décrire les particules très rapides.

Atome : Entité composée d'un noyau (assemblage très compact de protons et de neutrons) et d'un nuage périphérique composé d'un cortège d'électrons.

Baryon : Particule soumise à l'interaction nucléaire forte et composée de trois quarks.

Big bang : Modèle théorique, largement confirmé par les observations, d'après lequel l'univers a d'abord connu des conditions de température et de densité très élevées, qui se sont atténuées au cours de son expansion.

Boson de Higgs : Particule dont l'existence permet d'expliquer comment les particules ont acquis leur masse. Le boson de Higgs a pu être détecté en 2012 grâce au LHC, le puissant collisionneur de protons qui a été mis en service au CERN au début de l'an-née 2010.

Collisionneur de particules : Accélérateur dans lequel on réalise des collisions entre particules provenant de faisceaux circulant en sens inverse. Les collisionneurs actuels sont circulaires. Les prochains seront sans doute linéaires.

Constante de Planck : Constante universelle, qu'on note h. Sa valeur est de $6{,}622 \times 10^{-34}$ joule.seconde. Elle constitue l'emblème du monde quantique : un univers dans lequel la constante de Planck aurait une valeur nulle serait en effet intégralement régi par la physique classique.

Densité critique : En cosmologie, la densité critique correspond à la densité d'énergie que doit avoir un univers homogène, isotrope et en expansion pour que sa courbure spatiale soit nulle. La densité critique sépare donc, à taux d'expansion fixé, les modèles dits « fermés » (en fait à courbure spatiale positive) des modèles dit « ouverts » (en fait à courbure spatiale négative). Un univers dont la densité est égale à la densité critique possède une courbure spatiale nulle, c'est-à-dire que les lois de la géométrie euclidienne usuelle y sont valables à grande échelle.

Électromagnétisme : Science qui décrit les lois des phénomènes électriques et magnétiques, et plus généralement les phénomènes optiques et chimiques. Elle fut fondée au cours du XIXᵉ siècle. C'est au physicien écossais James Clerk Maxwell (1831-1879) que l'on doit la première synthèse théorique de l'électromagnétisme, sous la forme des équations qui portent son nom.

Électron : Particule élémentaire de charge électrique négative entrant dans la composition des atomes. Les interactions électromagnétiques entre électrons d'atomes voisins déterminent les liaisons chimiques qui associent les atomes en molécules.

Électronvolt : Unité d'énergie utilisée en physique des particules. Un électronvolt correspond à $1,6 \times 10^{-19}$ joule. Le MeV vaut un million d'électronvolts, le GeV un milliard d'électronvolts, et le TeV mille milliards d'électronvolts.

Élément chimique : Tout noyau atomique est constitué de nucléons, c'est-à-dire de protons et de neutrons. Les protons portent une charge électrique positive, exactement opposée à celle de l'électron. Les neutrons, eux, une charge électrique nulle. Le nombre de protons dans un noyau s'appelle le numéro atomique, qu'on note Z. Quant au nombre de neutrons, il est désigné par N. La somme Z + N, appelée nombre de masse et notée A, représente donc le nombre total de nucléons contenus au sein d'un noyau. Dans l'atome, électriquement neutre par nature, le nombre d'électrons autour du noyau est égal à celui des protons dans le noyau, c'est-à-dire au numéro atomique Z. Ce dernier doit son importance particulière au fait que tous les atomes contenant un même nombre de protons (de même Z) ont les mêmes propriétés chimiques, puisqu'ils sont entourés du même cortège électronique. Ils constituent ce qu'on appelle un élément chimique.

Énergie noire : Composante de l'univers, de nature inconnue, introduite pour expliquer l'accélération qui paraît caractériser l'expansion de l'univers depuis quelques milliards d'années. La preuve de son existence est fondée notamment sur l'observation de certaines explosions d'étoiles, les supernovae de type Ia.

Espace-temps : Cadre sous-jacent de notre univers, qui combine les trois dimensions d'espace et la dimension du temps. Le concept d'espace-temps fait partie intégrante de la théorie de la relativité restreinte d'Einstein. Selon la théorie de la relativité générale, sa courbure est à l'origine de la gravitation.

Force électrique : C'est par elle que deux charges électriques se repoussent si elles sont de même signe et s'attirent si elles sont de signe opposé. L'intensité de cette force décroît comme l'inverse du carré de la distance séparant les deux charges.

Hadron : Particule sensible à l'interaction nucléaire forte. Il existe deux sortes de hadrons : les baryons, constitués de trois quarks, et les mésons, constitués d'un quark et d'un antiquark. Exemples : le proton et le neutron sont des baryons, le pion est un méson.

Hélium : L'élément chimique le plus léger après l'hydrogène. Son noyau est composé de deux protons et de deux neutrons pour l'hélium 4, l'isotope le plus répandu (celui de l'hélium 3 n'a qu'un seul neutron). L'hélium présent dans l'univers a été synthétisé lors de la nucléosynthèse primordiale. Rare dans l'atmosphère terrestre, il est abondant dans les étoiles où il est le résultat de la fusion de l'hydrogène.

Inflation : Hypothèse selon laquelle l'univers primordial aurait connu une phase d'expansion extraordinairement rapide et très brève (10^{-35} seconde…). Elle expliquerait plusieurs caractéristiques de l'univers actuel.

Interaction électromagnétique : Interaction qui est à la base de tous les phénomènes électriques, magnétiques, optiques, chimiques. Elle est omniprésente en physique.

Interaction gravitationnelle : Interaction toujours attractive, de longue portée, mais d'intensité beaucoup plus faible que celle des autres interactions fondamentales.

Interaction nucléaire forte : Interaction de courte portée qui assure les liaisons entre quarks et maintient ensemble les nucléons (composés de quarks) au sein du noyau des atomes.

Interaction nucléaire faible : Interaction responsable de certains phénomènes radioactifs, notamment la désintégration du neutron en un proton, un électron et un antineutrino.

Kelvin : unité de température (symbole K). L'échelle Kelvin a un point fixe qui est par convention la température du point triple de l'eau (où coexistent les phases solide, liquide et vapeur) à 273,16 K. 0 K = − 273,15 °C correspond au zéro absolu où toute forme de matière est figée.

Lepton : Particule insensible à l'interaction nucléaire forte. Les leptons chargés participent aux interactions faible et électromagnétique. Les leptons neutres (neutrinos) ne subissent que l'interaction faible.

LHC (Large Hadron Collider) : Le LHC est la plus grande expérience de physique jamais réalisée. Il s'agit d'un collisionneur de particules érigé par le CERN de part et d'autre de la frontière franco-suisse : deux faisceaux de protons parcourent en sens inverse et 11 245 fois par seconde un anneau dont la circonférence (27 km) est à peu près égale à celle du périphérique parisien, à une vitesse quasiment égale à la vitesse de la lumière, et se percutent frontalement.

Répartis tout au long de l'anneau, 1 252 aimants dipolaires supraconducteurs de 15 m de longueur, refroidis à l'hélium superfluide, au champ magnétique très élevé, guident les protons sur leur trajectoire circulaire, tandis que des cavités radiofréquence supraconductrices leur confèrent l'énergie requise (qui est plusieurs milliers de fois celle d'un proton au repos). Les collisions de protons à très haute énergie qui se produisent dans la machine recréent, de façon très localisée et très fugitive, les conditions physiques qui furent celles de l'univers primordial. Grâce à ces chocs très violents et aux interactions entre particules qu'ils engendrent, les physiciens ont pu détecter en 2012 le boson de Higgs, cette particule qui confère leur masse aux autres particules.

Matière noire : Composante majeure de l'univers, plus de six fois plus abondante que la matière visible ordinaire, elle a pour particularité de n'émettre aucun rayonnement et de n'agir que par le biais de la gravité.

Méson : Particule sensible à l'interaction nucléaire forte et composée d'un quark et d'un antiquark.

Multivers : Modèle cosmologique qui envisage l'existence de nombreux univers différents (peut-être une infinité), chacun étant le théâtre d'un ensemble de lois physiques différentes, et chacun étant isolé de tous les autres.

Mur de Planck : Ce terme désigne un moment particulier de l'univers, une phase par laquelle il est passé et qui se caractérise par le fait que les théories physiques actuelles sont impuissantes à décrire ce qui s'est passé en amont de cette phase. L'énergie, la longueur et la durée qui lui sont associées, dites de Planck elles aussi, valent respectivement 10^{19} GeV, 10^{-35} mètre et 10^{-43} seconde.

Neutralino : Particule prédite par la supersymétrie et constituée d'un mélange des partenaires supersymétriques du photon, du boson intermédiaire Z° et du boson de Higgs. Elle a une charge électrique nulle et une masse de l'ordre de 100 GeV. Elle pourrait constituer la matière noire.

Neutrino : Particule électriquement neutre, de masse très faible, produite lors de certaines réactions nucléaires, et qui n'interagit que très peu avec la matière. Il existe trois espèces de neutrinos.

Neutron : Un des constituants du noyau atomique (avec le proton). Il est composé de trois quarks en interaction. Sa charge électrique est nulle. Lorsqu'il est seul, le neutron finit par se désintégrer en un proton, un électron et un antineutrino (au bout de quelques minutes).

Noyau atomique : Cœur d'un atome, très dense, qui porte l'essentiel de sa masse. Tout noyau atomique est constitué de protons et de neutrons.

Photon : Grain élémentaire de lumière, et plus généralement de rayonnement électromagnétique, la lumière visible n'étant qu'une des formes de ce dernier. Sa masse est nulle. Le photon véhicule l'interaction électromagnétique au niveau élémentaire.

Physique quantique : Formalisme mathématique qui sous-tend toute la physique contemporaine, à l'exception de la théorie de la gravitation.

Positron : Antiparticule (chargée positivement) de l'électron. Sa masse est exactement égale à celle de l'électron.

Proton : Un des constituants du noyau atomique (avec le neutron). Il porte une charge électrique positive. Comme le neutron, il est composé de trois quarks en interaction.

Quark : Particule élémentaire composant les hadrons, c'est-à-dire les particules sensibles à l'interaction nucléaire forte. Il existe six sortes de quarks (six « saveurs », disent les professionnels).

Relativité restreinte : Théorie élaborée par Einstein en 1905, qui introduit le concept d'espace-temps en remplacement des concepts jusqu'alors séparés d'espace et de temps. Elle a comme conséquence l'équivalence de la masse et de l'énergie. Une particule est dite « relativiste » si sa vitesse n'est pas négligeable devant celle de la lumière.

Relativité générale : Théorie de la gravitation élaborée par Einstein en 1915. La gravitation n'y est plus décrite comme une force qui agit dans l'espace, mais comme une déformation de l'espace-temps, qui est courbé par la matière et l'énergie qu'il contient.

Spin : Propriété interne des particules, analogue mais non identique au concept habituel de rotation sur soi-même. Le spin d'un électron, lorsqu'on le mesure le long d'une direction arbitraire, ne peut prendre que deux valeurs : soit $h/4\pi$, soit $- h/4\pi$, où h désigne la constante de Planck. Si l'on imaginait l'électron comme une petite sphère chargée, d'un rayon de l'ordre de 10^{-15} mètre, et si le spin correspondait à une rotation de cette sphère, alors la vitesse à la surface de celle-ci devrait être supérieure à celle de la lumière. L'existence même du spin oblige donc à renoncer à se faire un modèle de l'électron qui s'inspirerait de la physique classique.

Supernova : Phase explosive par laquelle certaines étoiles (étoiles binaires ou étoiles massives) achèvent leur évolution.

Théorie de la supersymétrie : Théorie proposée dans les années 1980 en physique des particules. Elle propose de doubler les ingrédients du modèle standard : chaque particule de la matière ordinaire aurait un partenaire supersymétrique, plus lourd qu'elle.

BIBLIOGRAPHIE

BERGSON, Henri, *La Pensée et le Mouvant* [1934], Paris, PUF, 1972.

BERNARDEAU, Francis, *Cosmologie. Des fondements théoriques aux observations*, Les Ulis-Paris, EDP Sciences-CNRS éditions, 2007.

BITBOL, Michel, *De l'intérieur du monde. Pour une philosophie des relations*, Paris, Flammarion, 2010.

BOJOWALD, Martin, *L'Univers en rebond. Avant le Big Bang*, trad. de l'allemand par J.-P. Hermann, Paris, Albin Michel, coll. « Bibliothèque des Sciences », 2010, à paraître.

BOUQUET, Alain, MONNIER, Emmanuel, *Matière sombre et énergie noire*, Paris, Dunod, 2008.

BOUTANG, Pierre, *Le Temps. Essai sur l'origine*, Paris, Hatier, 1993.

BRISSON, Luc, MEYERSTEIN, F. Walter, *Inventer l'univers. Le problème de la connaissance et les modèles cosmologiques*, Paris, Les Belles Lettres, 1991.

CASSÉ, Michel, *Théories du ciel. Espace perdu, temps retrouvé*, Paris, Payot & Rivages, 1999.

—, *Énergie noire, matière noire*, Paris, Odile Jacob, coll. « Sciences », 2002.

CASTORIADIS, Cornelius, *Histoire et création. Textes philosophiques inédits* (1945-1967), Paris, Seuil, coll. « La couleur des idées », 2009.

DEMARET, Jacques, LAMBERT, Dominique, *Le Principe anthropique. L'homme est-il le centre de l'univers ?*, Paris, Armand Colin, 1994.

FERRET, Stéphane, *Le Bateau de Thésée. Le problème de l'identité à travers le temps*, Paris, Minuit, 1996.

HAWKING, Stephen William, *Commencement du temps et fin de la physique ?*, Paris, Flammarion, 1992.

—, *Une brève histoire du temps. Du big bang aux trous noirs*, Paris, Flammarion, 1989.

— et PENROSE, Roger, *La Nature de l'espace et du temps*, trad. de l'anglais par F. Balibar, Paris, Gallimard, 1997.

JULLIEN, François, *Les Transformations silencieuses*, Paris, Grasset, 2009.

GUNZIG, Edgard, *Que faisiez-vous avant le big bang ?*, Paris, Odile Jacob, 2008.

KANT, Emmanuel, *Prolégomènes à toute métaphysique future qui voudra se présenter comme science*, Paris, Vrin, 1967.

—, *Histoire naturelle générale de la nature et théorie du ciel*, édition de P. Kerszberg, A.-M. Roviello et J. Seidengart, Paris, Vrin, 1984.

KOYRÉ, Alexandre, *Études galiléennes* [1936], Paris, Hermann, 1986.

—, *Études d'histoire de la pensée scientifique*, Paris, PUF, 1966.

KÜNG, Hans, *Petit Traité du commencement de toutes choses*, Paris, Seuil, 2008.

LAMBERT, Dominique, *L'Itinéraire spirituel de Georges Lemaître*, Bruxelles, Lessius, 2008.

LACHIÈZE-REY, Marc, *Les Avatars du vide*, Paris, Le Pommier, 2006.

—, *Au-delà de l'espace et du temps. La nouvelle physique*, Paris, Le Pommier, 2003.

—, *Initiation à la cosmologie. Cours*, Paris, Dunod, 2004.

LEHOUCQ, Roland, *L'univers a-t-il une forme ?*, Paris, Flammarion, 2004.

— et UZAN, Jean-Philippe, *Les Constantes fondamentales*, Paris, Belin, 2005.

LEPELTIER, Thomas, *Univers parallèles*, Paris, Seuil, coll. « Science ouverte », 2010.

LUMINET, Jean-Pierre, *Le Destin de l'univers. Trous noirs et énergie sombre*, coll. « Le temps des sciences », Fayard, Paris, 2006.

—, *L'Invention du big bang*, Paris, Seuil, coll. « Points. Sciences », 2004.

MEILLASSOUX, Quentin, *Après la finitude. Essai sur la nécessité de la contingence*, Paris, Seuil, coll. « L'ordre philosophique », 2005.

MERLEAU-PONTY, Jacques, *La Science de l'univers à l'âge du positivisme. Étude sur les origines de la cosmologie contemporaine*, Paris, Vrin, coll. « L'histoire des sciences », 1983.

—, *Cosmologie du XXᵉ siècle. Étude épistémologique et historique des théories de la cosmologie contemporaine*, Paris, Gallimard, 1965.

MEYERSON, Émile, *Identité et réalité*, Paris, Alcan, 1908.

MISRAHI, Robert, *Lumière, commencement, liberté. Fondements pour une philosophie du sujet et pour une éthique de la joie*, Paris, Plon, 1969 ; Paris, Seuil, coll. « Points », 1996.

PARROCHIA, Daniel, *Le Réel*, Paris, Bordas, coll. « Philosophie présente », 1991.

— et BARRAU, Aurélien (sous la dir.), *Forme et origine de l'univers*, Paris, Dunod, coll. « UniverSciences », 2010.

PETER, Patrick, UZAN, Jean-Philippe, *Cosmologie primordiale*, Paris, Belin, 2005.

PLATON, *Timée, Critias*, présentation et trad. de Luc Brisson, Paris, Flammarion, coll. « GF » 2001.

RÉDA, Jacques, *La Physique amusante*, Paris, Gallimard, 2009.

REEVES, Hubert, *Dernières Nouvelles du cosmos*, Paris, Seuil, coll. « Points Sciences », 2002.

ROBREDO, Jean-François, *Du cosmos au big bang. La révolution philosophique*, PUF, Paris, coll. « Science, histoire et société », 2006.

ROVELLI, Carlo, *Qu'est-ce que le temps ? Qu'est-ce que l'espace ?*, Bruxelles, Bernard Gilson éditeur, 2006.

—, *Quantum Gravity*, Cambridge University Press, 2004.

SERRES, Michel, *Les Origines de la géométrie. Tiers livre des fondations*, Paris, Flammarion, coll. « Champs », 1993.

SILK, Joe, *Le Big Bang*, Paris, Odile Jacob, 1997.

SMOLIN, Lee, *Rien ne va plus en physique ! L'échec de la théorie des cordes*, Paris, Dunod, coll. « Quai des sciences », 2007.

—, *Three Roads to Quantum Gravity*, New York, Perseus Books, 2002.

Susskind, Leonard, *Paysage cosmique. Notre univers en cacherait-il des millions d'autres ?*, Paris, Robert Laffont, 2007.

Verdet, Jean-Pierre, *Aux origines du monde, Une histoire de la cosmogonie*, Paris, Seuil, coll. « Science ouverte », 2010.

Veyne, Paul, *Les Grecs ont-ils cru à leur mythe ?*, Paris, Seuil, 1992.

Wismann, Heinz, *Les Avatars du vide*, Paris, Hermann, coll. « Le Bel Aujourd'hui », 2010.

TABLE

LES SCIENCES
DANS LA COLLECTION CHAMPS

Composition et mise en pages

NORD COMPO
m u l t i m é d i a

N° d'édition : L.01EHQN000919.B002
Dépôt légal : septembre 2016
Imprimé en Espagne par Novoprint (Barcelone)